D0284192

ro
ro
ro

Deutsche Sprache, schwere Sprache! Diese Erfahrung muss auch der Amerikaner David Bergmann machen. Nicht nur, dass er sich beim Deutschlernen mit drei Artikeln konfrontiert sieht, die anscheinend willkürlich benutzt werden. (Wieso heißt es sonst *der* Nachtisch, *die* Nachspeise, *das* Dessert?) Auch für das englische Wörtchen «you» bieten sich sieben Alternativen und für die Pluralbildung sogar zwölf. Aber David Bergmann lässt sich von diesen Fallstricken nicht in die Irre führen, lebt seit 1996 glücklich in Deutschland und weiß inzwischen auch die Schönheiten der deutschen Sprache zu schätzen. Da wären zum einen die süßen «Umlauts» und zum anderen so effiziente Worte wie «doch», die jede Sprache der Welt bereichern würden.

Sein Buch ist ein amüsanter Streifzug durch die deutsche Sprache und die bemerkenswerte Liebeserklärung eines Nichtmuttersprachlers: Deutsche Sprache, schöne Sprache!

David Bergmann, 1971 in Ohio geboren, reiste im Herbst 1996 nach Deutschland, um die Sprache seiner Vorfahren zu lernen. Nach einem lehrreichen Semester an der Universität Göttingen zog er pleite nach Hamburg, wo er seitdem als Wirtschaftsprüfer arbeitet.

Weitere Informationen unter: www.derdiewas.de

David Bergmann

Der, die, was?

Ein Amerikaner im Sprachlabyrinth

Rowohlt Taschenbuch Verlag

4. Auflage November 2008

Originalausgabe
Veröffentlicht im Rowohlt Taschenbuch Verlag,
Reinbek bei Hamburg, Juli 2007
Copyright © 2007 by Rowohlt Verlag GmbH,
Reinbek bei Hamburg
Alle Rechte vorbehalten
Redaktion: Rasha Khayat
Umschlaggestaltung ZERO Werbeagentur, München
(Abbildung: ZERO Werbeagentur)
Satz FF Scala PostScript (InDesign) bei
Pinkuin Satz und Datentechnik, Berlin
Druck und Bindung Druckerei C. H. Beck, Nördlingen
Printed in Germany
ISBN 978 3 499 62250 2

To my parents, Margaret and Otmar: Though you may not understand this book written in German, more than anyone else, you have made it possible.

Inhalt

1 Lieber auf den zweiten Blick

Eine Woche lang kam ich mir «hasenclever» vor. Ich hatte ein neues deutsches Wort gelernt. Fast ein Jahr nach meinem Umzug von Chicago nach Deutschland sah ich eines Tages eine Straße in Hamburg, die *Hasencleverstraße* hieß. Das Wort «bienenfleißig» war schon vorher eines von meinen Lieblingswörtern, aber «hasenclever» fand ich noch schöner – fast so hübsch wie eine «dufte Biene». In den Tagen danach benutzte ich voller Begeisterung so oft wie möglich mein neues Wort. Alles, was ich mehr als nur clever fand, bezeichnete ich nunmehr als hasenclever. Die Reaktionen meiner einheimischen Mitmenschen darauf waren sehr unterschiedlich: Einige schienen gar nichts Ungewöhnliches zu bemerken, andere haben lediglich leicht irritiert gelächelt und genickt. Nur eine einzige Frau gestand mir etwas skeptisch: «Ich wusste nicht, dass Hasen besonders clever sind.» Aber ich ließ mich davon nicht irritieren; ich hatte das Gefühl, zu den intellektuellen Tieren zu gehören.

Zu der Zeit wohnte ich in einer WG zusammen mit einem Schweizer namens Bodo, der an der Universität Hamburg promovierte. Seine Doktorarbeit drehte sich um eine mittelalterliche Handschrift in lateinischer Sprache. Er schien – im Gegensatz zu mir – mit seinem Latein nie am Ende zu sein. Zum Glück interessierte er sich auch für lebende Sprachen, und hier insbesondere für die deutsche, die ich so eifrig zu erlernen versuchte. In unserem Freundeskreis nannte man ihn zu Recht «den Sprachpfleger». Am nächsten Wochenende tat Bodo irgendetwas, was mich schwer beeindruckte. Daraufhin sagte ich: «Du, Bodo, das war clever! Das war sogar HASEN-clever!» Bodo schaute mich eine Zeitlang schweigend an; dann sagte er: «David, man kann entweder klug, geschickt, raffiniert, gerissen, schlau, gewieft, listig, gewitzt, durchtrieben, pfiffig oder sogar clever sein – aber Hasenclever war ein Schriftsteller.»

Plötzlich hatte ich gar nicht mehr den Eindruck, besonders clever zu sein. Ich war dermaßen enttäuscht, dass ich sogar zu fragen vergaß, ob Herr Hasenclever eher ein hohes Tier oder nur irgendein alter Hase war. Ich fand es schade, dass mein neuentdecktes Wort nicht die Bedeutung hatte, die mich nun schon eine Woche lang so entzückt hatte. Aber wenn man eine Fremdsprache lernt, gibt es eben leider enttäuschende Erlebnisse in Hülle und Fülle. Glücklicherweise passieren einem aber auch jede Menge witzige Sachen – von denen viele jedoch für den Täter erst im Nachhinein witzig sind. Oft erst viel später – und weit vom Tatort entfernt. Zum Glück führe ich seit Jahren ein Tagebuch, sodass auch ich dann mal über so etwas lachen kann.

Gut dreieinhalb Jahre zuvor, am 12. Februar 1994, fing ich aus Spaß an, Deutsch zu lernen. Auch heute, nach vielen Jahren, ist mir die Freude daran noch längst nicht verdorben. Während dieser Zeit bin ich zigtausend Mal von Deutschen gefragt worden, wie das bloß sein kann. Meine absolut ernstgemeinte Antwort: weil Deutsch so eine schöne, effiziente, wichtige und vor allem witzige Sprache ist! Wenn ich für jeden darauf erhaltenen skeptischen Blick einen Stein bekommen hätte, wäre ich heute steinreich.

Meiner Meinung nach wissen leider viel zu wenige Deutsche, wie humorvoll ihre Muttersprache eigentlich ist. Ich bin fest der Überzeugung, dass dies ausschließlich darauf zurückzuführen ist, dass Deutschmuttersprachler ihrer Sprache zu wenig Aufmerksamkeit schenken. Für viele Leute zum Beispiel war das unerwartet schlechte Wahlergebnis von Angela Merkel und der CDU bei der

Bundestagswahl im Herbst 2005 eine große Überraschung – nicht jedoch für mich. Obwohl die Ursache an fast jeder Straßenecke zu sehen war, haben es offenbar kaum Deutsche bewusst wahrgenommen. Auf jenen allgegenwärtigen Plakaten sah man ein Bild von einer lächelnden Frau Merkel neben dem CDU-Wahlversprechen: *Mehr Arbeit!* Dies war eindeutig ein Verstoß gegen ein Prinzip eines der intelligentesten Deutschen aller Zeiten, Albert Einstein: «Alles sollte so einfach wie möglich sein, aber nicht einfacher.» Es hätte natürlich heißen müssen: *Mehr Arbeitsplätze!* Meine Vermutung ist, dass viele Wähler dies im Unterbewusstsein registriert haben und daher mit einem unerklärlich unbehaglichen Gefühl gegen die CDU gestimmt haben.

Wenn man genauer hinschauen würde, dann sähe man im Deutschen immer wieder ähnliche Formulierungen. Zum Glück haben jedoch nicht alle gravierende Folgen; einige davon sind einfach unabsichtlich lustig, wie zum Beispiel:

► Der Mann ist ganz schön hässlich.
► Sie besucht einen Crashkurs gegen Flugangst.
► Der Bundestag tagte bis in die Nacht.
► Cäsar kommt immer vor Dora und Emil.
► Dass er das ganze Geld einsackt, kommt bei mir nicht in die Tüte.

Jeder Deutsche kennt den Spruch: «Deutsche Sprache, schwere Sprache.» Aber kaum einer weiß, dass man ebenso angemessen behaupten kann: «Deutsche Sprache, spaßige Sprache!» Das kann nicht angehen, finde ich! Es wird Zeit, dass jemand endlich etwas gegen den schlechten Ruf der deutschen Sprache tut! Vielleicht am besten ein sehr neugieriger Amerikaner deutscher Abstammung.

Und zufälligerweise bin ich eben genau so ein sehr neugieriger Amerikaner deutscher Abstammung. Somit kommt hier nun dieses Buch, in dem in 26 erstaunlich schmerzlosen Kapiteln nicht nur beschrieben wird, wie die deutsche Grammatik durch eine «Ausländerbrille» aussieht, sondern auch wie ein Amerikaner, dessen 32 Ur-ur-ur-Großeltern Mitte des 19. Jahrhunderts von Deutschland in die USA auswanderten, «back to the roots» geht – sowohl körperlich als auch sprachlich.

Diese Sammlung meiner Eindrücke und Erlebnisse ist zum Nachdenken und vor allem Nachlachen gedacht. Es wird sich zeigen, dass der Umgang mit der deutschen Sprache nicht nur zum Heulen ist – wie im 19. Jahrhundert mein Landsmann Mark Twain gänzlich zu Unrecht behauptete –, sondern auch zum Heulen witzig.

———

Wie vieles in den USA, so hat auch diese Geschichte ihren eigentlichen Anfang bei einem englischen Auswandererschiff. Als Junge war ich lange Zeit der festen Überzeugung, dass meine Vorfahren im Jahre 1617 auf dem Segelschiff *Mayflower* nach Amerika gekommen waren. In Bezug auf meine Familiengeschichte gab es allerdings eine ganze Reihe eher unwissenschaftlicher Annahmen, die ich für selbstverständlich gehalten hatte. So bestand zum Beispiel in meinem Kinderkopf kein Zweifel daran, dass meine Vorfahren unter den Puritanern waren, als diese der religiösen Verfolgung in England entflohen, und anschließend unter den Puritanern waren, als diese in Neuengland Andersreligiöse verfolgten. Ferner unterstützten sie bestimmt George Washington und die Engländer, als diese die Franzosen rausschmissen, und anschließend unterstützten sie George Washington und die Franzosen, als diese die Engländer rausschmissen. Zugegebenermaßen recht eigenartige Vorstellungen – aber zu der Zeit hatte ich ja auch keinen Zweifel daran, dass sich Weihnachtsmann,

Osterhase und Zahnfee regelmäßig trafen, um die Geschenkvergabe an mich zu koordinieren.

Im Gegensatz zu Deutschland werden an den Schulen der USA noch heute viele Mythen über die Entstehung des eigenen Heimatlandes erzählt. Alle braven amerikanischen Kinder wissen, dass 1492 der tapfere Christoph Kolumbus die «Neue Welt» entdeckte und dass es seitdem in deren Norden ausschließlich und stetig bergauf gehe. Weniger bekannt ist den meistern Schülern allerdings, dass Kolumbus die Einheimischen ziemlich nervte, indem er sie «Inder» nannte, ständig nach ihren Goldreserven fragte, sie taufen wollte und zudem eindringlich versuchte, sie von den Vorteilen eines Sklavendaseins zu überzeugen. In den USA lernt man schon sehr früh, patriotisch zu sein. Intensiv werden alle schönen Seiten der eigenen Geschichte gelehrt – und dass man als Amerikaner immer irgendwie daran teilgenommen habe. So war es wenigstens bei mir während meiner Kindheit. Aber dann war eines Tages in der dritten Klasse meine Lehrerin eine Woche lang mächtig erkältet, und ich wurde meiner Illusionen beraubt.

Nicht nur der christliche Glaube, die Rolle des Rechtsstaates und die Folgen der Aufklärung verbinden die Kulturen der verschiedenen abendländischen Länder; ein ebenso elementares Bindeglied ist der Spaß, den Kinder haben, wenn eine Vertretungslehrerin den Unterricht übernimmt. Denn das bedeutet in der Regel für alle Schüler, egal ob in Amerika oder Deutschland, das Gleiche: keine Hausaufgaben – sowie die Gelegenheit für einige schön aufsässige, unbändige und zügellose Schulstunden. In der Schule meines Dorfes auf dem Lande einige Kilometer (etwa 500) südöstlich von Chicago hatten wir einen weiteren Grund, uns darüber zu freuen. Auch wenn wir die Ursache dafür nicht kannten, so merkten wir doch schnell, dass Vertretungslehrerinnen, die nicht aus der Gegend stammten, große Probleme bei der Aussprache unserer

Nachnamen hatten. Beim Aufrufen scheiterten sie regelmäßig an Zungenbrechern wie Goettemoeller, Schwietermann, Thobe oder Knapke. Danach waren sie so demoralisiert, dass sie gerade noch genug Energie hatten, um den Filmprojektor zu holen.

In jener besagten Woche im Herbst 1979 kam jedoch eine neue Vertretungslehrerin von weit her. Zu unserer Verwunderung hatte sie mit unseren Namen überhaupt keine Probleme. Nachdem sie alle aufgerufen hatte, sagte sie etwas, das uns noch mehr verblüffte: «Ach, so viele schöne deutsche Nachnamen!» Wir Kinder waren platt. Bis dahin waren wir felsenfest davon überzeugt, dass wir amerikanische Nachnamen hatten. Zugegeben, bislang hatten wir keinen «Schaeflein» oder «Ronnebaum» im Kreis der amerikanischen Präsidenten gefunden, aber dennoch fühlten wir uns zu hundert Prozent amerikanisch. Nach dieser überraschenden Aussage der Vertretungslehrerin hob nun jedes Kind in der Klasse die Hand, um sie zu fragen, welcher Herkunft sein Nachname sei. Ihre Antwort lautete jedes Mal: «Deutschland!» Wir waren so perplex, dass wir nicht einmal zu jammern vermochten, als wir von ihr Unmengen an Hausaufgaben aufbekamen.

Nach diesen schockierenden Erkenntnissen entschloss ich mich, etwas Ahnenforschung zu betreiben. Wenn man acht Jahre alt ist, heißt Forschung fast immer nur eines: Papa fragen. Mein Vater sagte mir, dass die Vertretungslehrerin wohl ursprünglich aus Deutschland kommen müsse. Und dass sie recht habe, denn in unserem Dorf seien fast alle Einwohner deutscher Abstammung. Dann kam die für mich größte Überraschung: Mein Vater erklärte mir, dass das unverständliche Kauderwelsch, in dem sich meine Oma immer mit den anderen Omas der Nachbarschaft unterhielt, eine europäische Sprache namens «Plattdeutsch» sei, und nicht, wie ich bis dahin vermutet hatte, eine geheime Oma-Sprache.

Vielleicht sollte ich hier ein paar Hintergrundinformationen bezüglich meiner falschen Vorstellungen geben: Als ich drei Jahre alt war, starb mein Großvater. Kurz danach kauften meine Eltern von den übrigen Erben die Farm, auf der mein Vater aufgewachsen war. Hierzu gehörte das Farmhaus, welches unter anderem auch meine Oma enthielt. Mit uns sprach Oma nur Englisch, aber sobald eine andere Oma vorbeikam, fand eine phantastische Verwandlung statt: Sie hörte sofort mit dem auf, was sie gerade tat (wie zum Beispiel Arbeit für faulenzende Enkelkinder zu finden), und wechselte die Sprache. In einem Moment verstanden wir alles, im nächsten gar nichts mehr. In meiner Naivität glaubte ich, dass es sich dabei um eine geheime Oma-Sprache handelte, die alle Omas weltweit sprechen, damit kleine Enkelkinder nichts von ihrer Unterhaltung mitbekommen.

Für meine Theorie hatte ich sogar schriftliche Beweisstücke. Es gab zwei Orte im Dorf, an denen sich die Omas oft in großen Scharen versammelten: auf dem Friedhof und in der Kirche. Und an beiden Stellen fand sich eine unverständliche Sprache in einer schleierhaften Schrift mit merkwürdigen Buchstaben. (Erst Jahre später würde ich erfahren, dass die Texte auf den Grabsteinen nicht Oma-Lebensläufe und diejenigen an den Kirchenwänden nicht die Oma-Gebote waren – es waren einfach gewöhnliche kirchliche Angelegenheiten, nur eben in der alten deutschen Frakturschrift.)

Mit acht Jahren kommt man mit seinen Forschungsprojekten oft nicht sonderlich weit, da man noch nicht so forsch forschen kann. Aber anstatt aufzugeben, pausierte ich nur einige Jahrzehnte lang. Später stellte ich fest, dass die meisten Einwohner in meinem Dorf tatsächlich deutsche Vorfahren hatten, die in den dreißiger und vierziger Jahren des 19. Jahrhunderts aus der Gegend zwischen Osnabrück und Bremen in die USA gekommen waren.

Seit Jahrhunderten wird Amerika als Schmelztiegel bezeichnet, und daran ist viel Wahres. In den Städten mischten sich die Volksgruppen meistens relativ schnell. Die Gruppen der ersten Generation neigten zwar noch dazu, in den jeweiligen Stadtteilen unter sich zu bleiben, aber bereits in der zweiten Generation kam es nicht selten vor, dass Männlein und Weiblein aus verschiedenen Einwanderungsgruppen zusammenfanden. Wie bei vielen Dingen, so war es bei uns auf dem Lande etwas anders: Der sogenannte Schmelztiegel köchelte hier lange Zeit nur auf Sparflamme. Nur wenige Nichtdeutschsprechende wagten es damals, in ein Dorf zu ziehen, wo jeder jeden kannte, allen Außenseitern erst mal misstraut wurde und jeder Dorfbewohner Plattdeutsch redete (damals nicht nur die Omas, wie Generationen später). Aufgrund dieser Isolation blieb die inoffizielle Amtssprache meiner Heimatgegend einige Generationen lang Plattdeutsch. Erst durch den Einfluss von Radio, Fernsehen und zwei für Deutschland unglücklich gelaufene Weltkriege musste das Platt schließlich dem Englischen Platz machen.

Und nicht einmal die Omas konnten das aufhalten.

2   Deutschland, deine Umlauts

Es war einmal in den USA. Plötzlich erschien ein neues, mysteriöses Speiseeis der hochpreisigen Kategorie. Niemand wusste genau, wo dieses Eis herkam. Allerlei wurde gemunkelt. Vielleicht Dänemark? Vielleicht Holland? Vielleicht Island? (Letzteres wäre wohl am passendsten, da Island im Englischen *Iceland* heißt – somit ein heißer Kandidat als Heimatland der *Ice cream*).

Die Ursache für diese Munkeleien war die Eismarke *Häagen Dazs*. Erst später kam die Wahrheit über die Herkunft des Speiseeises langsam an die Öffentlichkeit: Zur Enttäuschung vieler amerikanischer Eis-Connoisseure wurde bekannt, dass der Hersteller ein stinknormaler Amerikaner aus New York war. Der Name war keiner europäischen Sprache entliehen, sondern einfach ein Kunstbegriff. Er sollte für die amerikanischen Konsumenten europäisch aussehen und klingen und mit europäischer Tradition und Handwerkskunst assoziiert werden. Aber zu diesem Zeitpunkt war es schon zu spät. Der Hauch des Exotischen war der Eismarke nicht mehr zu entreißen.

Unfassbar ist für Englischmuttersprachler jedoch die Tatsache, dass die Umlaute in den Sprachen, wo sie vorkommen, offenbar nicht angemessen geschätzt werden. Zum Beispiel wollte eine schwedische Freundin von mir in Hamburg mit Nachnamen Källner ihren Umlaut weglassen, da sie meinte, dass er mit Umlaut nicht international wirke.

Die Cöölness der Umlauts haben amerikanische und englische Hardrockbands jedoch schon längst erkannt. Umlaute geben dem Bandnamen ein fremdartiges Erscheinungsbild. Man spricht so-

gar hier von einer «mythischen germanischen Härte». Der will-
kürliche Umlaut in der Rockmusik wurde 1970 durch *Blue Öyster
Cult* eingeführt. *Motörhead* und *Mötley Crüe* folgten. Der Umlaut
in Motörhead war eine Schöpfung des Grafikers, der das Cover für
ihr erstes Album anfertigte. «Wir taten es, weil es einfach böse
aussieht», meinte der Sänger. Angeblich stammen die Umlaute
bei Mötley Crüe von ihrem Lieblingsgetränk *Löwenbräu*.

Mit all diesen Beispielen kann man beinahe nicht anders, als
den Englischmuttersprachlern einen gewissen Umlautneid vor-
zuwerfen. Schließlich hat die englische Sprache diese niedlichen
Buchstaben Ä, Ö und Ü nicht. Wir hatten im Englischen zunächst
nicht einmal einen Namen dafür, sodass wir uns des deutschen
Namens «Umlaut» bedienen mussten. Ansonsten würden sie
wohl wie etwas in der Art von «die zwei niedlichen alphabetischen
Pünktchen» oder «Vogelfüßchen» heißen. Im Englischen hat das
Wort Umlaut allerdings eine andere Mehrzahl bekommen: Umlauts.

Deutsch ist bekanntlich nicht die einzige Sprache der Welt, in
der die Powerpunkte heutzutage vorkommen. Die Umlaute findet
man auch in Sprachen wie Norwegisch, Finnisch, Schwedisch und
Türkisch. Aber Deutsch ist die Mutter der Umlaute. Im Mittelalter
fing man in den deutschen Ländern aus Vereinfachungsgründen
an, das E beispielsweise in der Buchstabenkombination U E über
das U zu schreiben. Im Laufe der Zeit wurde das E immer kleiner,
bis es letztendlich zu zwei Punkten wurde. Diese Entwicklung
blieb in anderen nord- und mitteleuropäischen Ländern natürlich
nicht unbemerkt und wurde in mehreren Sprachen übernommen.
Zu der Zeit benutzte man im expandierenden Osmanischen Reich
noch die arabische Schrift. Ich vermute, dass der wahre Grund,
weswegen die Türken im 17. Jahrhundert so fanatisch bis an die
Tore von Wien kämpften, war, dass sie auf der Suche nach den
Geheimnissen der Umlaute waren. Da sie aber von den Österrei-

chern zurückgeworfen wurden, blieb die türkische Schriftsprache noch einige weitere Jahrhunderte umlautlos. Erst kurz nach dem Ersten Weltkrieg wurde bei den Türken die lateinische Schrift samt Umlauten eingeführt. (Ich vermute, dass die Türken, als Gegenleistung für ihre Unterstützung im Krieg, in Verhandlungen mit den deutschen und österreichischen Kaiserreichen Umlautgeheimnisse forderten – und bekamen.)

Für Englischmuttersprachler gibt es bei den Umlauten allerdings zwei große, grundsätzliche Fragen: Erstens, wie spricht man sie aus? Und zweitens, wann treten sie auf? Diese Fragen müssen beantwortet werden, denn schließlich können die Pünktchen zu großen Bedeutungsunterschieden führen, wie die folgenden Sätze zeigen:

► Ich zähle, während du zahlst.
► In der Wohnung gab es viel Stückarbeit, aber keine Stuckarbeit.
► Manche Leute werden geachtet, andere geächtet.
► Der Bischof redete von schwülen Tagen, der Bürgermeister hingegen von Schwulen.

Durch die Andersartigkeit der Umlaute werden Englischmuttersprachler beim Deutschlernen nicht gefördert, sondern eher gefordert. In dieser Hinsicht sind die Umlaute für Englischmuttersprachler sozusagen die Stinktiere der Sprachenwelt: aus der Ferne niedlich anzuschauen, aber aus der Nähe möglicherweise etwas problematisch.

Wenn Englischmuttersprachler mit dem Deutschlernen anfangen, wissen die meisten gar nicht, wie ein Umlaut eigentlich klingen sollte. Deswegen fließen bei den Rockmusikbands die Umlauts gar nicht mit in die Aussprache des Namens ein. In einem meiner Deutschgrammatikbücher hieß es: «Die Aussprache der Umlauts kann nicht genau schriftlich beschrieben werden; diese müssen einfach im Sprachlabor gelernt werden.» Es wurde außerdem lediglich erklärt, dass es Folgendes gebe: ein langes Ä wie in «Hähne», ein kurzes Ä wie in «Hände», ein langes Ö wie in «Öfen», ein kurzes Ö wie in «Öffnen», ein langes Ü wie in «Grün» und ein kurzes Ü wie in «Gründe». Die Zungenbrechersätze, die wir zur Übung stetig wiederholen sollten, waren sehr unterhaltsam, zum Beispiel: «Tut die gute Pute in die Blütentüte!» oder «Eine Kuh macht Muh, viele Kühe machen Mühe». Anfangs war ich allerdings unsicher, ob meine Sprachfähigkeiten blühten oder bluteten. Bei den langen Umlauten habe ich es zumindest irgendwann einigermaßen hingekriegt, nicht so bei den kurzen Umlauten. Sosehr ich mich auch anstrengte, schaffte ich es einfach nicht, den Unterschied zwischen «drücken» und «drucken» auszudrücken. Meistens versuchte ich mich einfach um das Problem herumzudrücken, was schon ganz schön schwer sein kann.

Das zweite Hauptproblem bei den Umlauts ist zu wissen, wann man sie im Deutschen einsetzen sollte. Eine Frage, die ich mir oft gestellt habe, war beispielsweise: Heißt es «Glückwunsch», «Gluckwünsch» oder «Glückwünsch»? Lange vergab ich deswegen einfach «Glückwünsche». Ich war auch unsicher, ob ich meine «Wäsche wasche» oder meine «Wasche wäsche». Der folgende Satz verdeutlicht, wie willkürlich das Auftreten der Umlaute im Deutschen manchmal wirken kann: «Der Franzose hat keinen Umlaut, spricht dafür Französisch fröhlich mit seiner Frau – einer Französin froher Natur, natürlich – aber wenn er dies mit dem Telefon macht, wird trotzdem nicht teleföniert!»

Trotz alledem kann ich den Umlauten selten lange böse sein, weil sie einfach zu niedlich aussehen. Am sympathischsten sind das kleine «ü», das wie ein Smiley aussieht, und das kleine «ö», das einem singenden Smiley ähnelt! Ein englischer Komiker erklärte die Beliebtheit der Umlaute unter den Englischmuttersprachlern wie folgt: «Es ist, als hätten sie zwei Augen. Man schaut sich den

Umlaut an, und der Umlaut schaut zurück!» Ich glaube, dass wegen der Umlaute eine enge Freundschaft zwischen dem Leser und dem Gelesenen entsteht.

——

Als ich im Januar 1994 in die Großstadt Chicago zog, um nach dem Studium in die Arbeitswelt einzusteigen, dachte ich zwar hin und wieder an die Umlauts, aber nicht mehr als die meisten Amerikaner. In den ersten Wochen dort war ich vielmehr mit der Tatsache beschäftigt, dass ich nur wenige Freunde und noch weniger Möbelstücke hatte. Letztere zu finden war eindeutig die leichtere Aufgabe: An einem kalten Februarabend 1994 hatte ich in meiner Wäscherei auf einem Flugblatt gelesen, dass am darauffolgenden Wochenende eine Wohnungsauflösung in der Nähe stattfinden würde.

Als Allererster klopfte ich pünktlich zu Beginn der Auflösung an die Wohnungstür. Eine hübsche junge Amerikanerin machte die Tür auf und begrüßte mich mit den Worten: «Hallo, ich heiße Kerry.» Sie fragte mich, wonach ich suche, worauf ich ihr antwortete, dass ich so gut wie nichts habe, da ich neu in der Stadt sei. Und dann sagte sie etwas, was mein Leben veränderte: «Ach, dann bist du aber bestimmt einsam. Komm doch heute Abend einfach mit auf die Piste mit mir und meinen Freundinnen!» Im Nachhinein muss ich gestehen, dass dies eine sehr effektive Marketingtaktik war, denn danach kaufte ich alles, was sie mir vor die Nase stellte. In nur wenigen Minuten sah ich aus wie ein Packesel. Nur bei einem Textbuch für die deutsche Sprache zögerte ich ein wenig. Kerry lächelte weiter, aber ausnahmsweise reichte dies allein nicht aus, um mich von der Kaufwürdigkeit dieses Artikels zu überzeugen. Ich sagte ihr, dass ich mit 22 Jahren bestimmt schon zu alt sei, um eine Fremdsprache zu erlernen. Ihr Lächeln wurde immer breiter, als sie darauf entgegnete: «David, die Deutschen haben ein passendes Wort für fast alles. Eins davon passt perfekt zu deiner Aussage, und zwar das Wort *Quatsch*.» Als eine Art Mengenrabatt schenkte sie mir dann das Buch, und ich schleppte mich mitsamt allen Sachen nach Hause.

Wie vereinbart ging ich am Abend mit Kerry und ihren Freundinnen auf die Piste. Da fragte ich eine der Freundinnen über Kerry aus. Sie erklärte mir, dass Kerry ein Jahr in Deutschland gelebt hätte, wo sie einen Mann kennenlernte, den sie nächstes Jahr in Deutschland heiraten würde. Zuerst war ich enttäuscht, dass diese reizende Frau schon in festen deutschen Händen war, aber das währte nicht allzu lange, denn schließlich hatte mir Kerry an diesem Abend noch ein verlockendes Angebot gemacht: «David, wenn du das Textbuch zügig durcharbeitest, dann kannst du nächstes Jahr auf meiner Hochzeit in Leipzig tanzen!» Auch wenn ich zu der Zeit noch ein leidenschaftlicher Nichttänzer war, weckte dieses Angebot doch meinen Ehrgeiz. Ich entschloss mich also, meiner unfreiwilligen Errungenschaft eine Chance zu geben, und schon am nächsten Morgen schlug ich zuerst die Augen und dann das Buch auf. Nachdem ich die ersten Seiten durchgearbeitet hatte, wurde mir klar, dass ich diesen Stoff tatsächlich lernen konnte. Das war für mich zuvor keine Selbstverständlichkeit gewesen.

In der Highschool hatte ich Mitte der achtziger Jahre zwar schon zwei Jahre Deutschunterricht genossen, aber irgendwie haben wir Schüler es nicht so wirklich weit damit gebracht. Es kam uns damals so schwierig und unwichtig vor, auch wenn es Umlauts in Hülle und Fülle gab. Und zu allem Überfluss waren unsere Deutschbücher auch noch absolut lächerlich, nämlich aus den siebziger Jahren, und die Themen hatten eindeutig die 68er-Generation als Zielgruppe. Nach zwei Jahren mit diesem Machwerk waren wir alle überzeugt davon, dass die gesamte deutsche

Jugend ausgesprochen lange Haare hatte und nur an Partys dachte. In vier Semestern schaffte ich es also lediglich, einen aktiven Wortschatz von circa hundert Wörtern aufzubauen. Peinlicher noch, er bestand überwiegend aus Partyfloskeln wie: «Ich heiße David. Bist du auch neu hier?» Oder: «Ja, ich mag Bier auch sehr.»

Beim Durcharbeiten der ersten Kapitel in Chicago wurde mir nun jedoch klar, dass ich an der Universität gelernt hatte, wie man effektiv lernt. Die Aufgaben in Kerrys Textbuch machten mir zwar noch zu schaffen, aber wenigstens waren sie zu schaffen. Und zudem hatte ich in den Jahren seit meinem ersten Fehlversuch einen ganz anderen Eindruck von der deutschen Sprache bekommen.

1987 machte ich den Führerschein und erfuhr in meiner frischerwachten Autoneugier, dass VW, BMW, Audi, Mercedes Benz UND Porsche alle aus EINEM Land kamen – was dieses in meiner Achtung extrem steigen ließ. Vielleicht kam mir damals sogar schon der erste Verdacht, dass es toll wäre, Deutsch zu können.

1988 kam dann der Film *Stirb langsam* ins Kino. Seitdem Berlin für Hollywood keine harte Konkurrenz mehr darstellt, sind viele der besten Bösewichte in amerikanischen Filmen Deutsche: In *Stirb langsam, Jäger des verlorenen Schatzes, Goldfinger* und vielen anderen tollen Filmen meiner Jugend verkörperten sie die Fieslinge. Sie waren für uns amerikanische Burschen nicht nur böse und kühl, sie waren auch böse und cool – eine weitere Bestätigung für mich, dass es bombig wäre, Deutsch zu können.

1989 hatten wir in meiner Highschool einen Monat lang vier phantastische Fräuleins aus Bonn zu Besuch. Da wurde mir klar, dass viele der hinreißendsten Frauen der Welt Deutsche sind. Die vier Austauschschülerinnen hinterließen bei mir einen bleibenden Eindruck. Ich fand sie unwiderstehlich kultiviert, elegant und modisch. Diese Bonn-Girls waren für mich sogar besser als die Bond-Girls. Ich wollte sie ansprechen, aber sie verschlugen mir glatt die Sprache. Erst nach einigen Wochen wagte ich es, und da ich sie beeindrucken wollte, versuchte ich, mich auf Deutsch vorzustellen: «Ich heißer David. Wie heiß sind Sie?» Knapp daneben mag auch vorbei sein, aber in diesem Moment lag ich wohl eher voll daneben. Es war sicherlich besser, dass ich ihre Antwort dann nicht verstand – die Gelegenheit für eine zweite Frage bekam ich jedenfalls nie. Bis dahin war für mich die deutsche Sprache eigentlich nur ein abstraktes Fach gewesen, so ähnlich wie Philosophie, Geschichte oder Mathematik. Nun aber hatte ich einen handfesten Grund dafür zu glauben, dass es prima wäre, Deutsch zu können.

1990 wurde das Lied *Wind of Change* von der deutschen Rockband Scorpions zu einem internationalen Erfolg. Im tollsten Rockmusik-Radiosender meiner Heimatgegend wurden schon seit Jahren viele Lieder von den Scorpions gespielt, aber fortan machte Scorpions-Sänger Klaus Meine sogar Werbespots für den Sender. Auf uns amerikanische Jungs machte er mit seinem rockigen deutschen Akzent jedes Mal, wenn seine Stimme aus dem Radio stürmte («WTUE – der Sender, wo die Scorpions euch wie ein HURRIKAN rocken!»), einen richtig starken Eindruck. Ein weiteres Argument dafür, dass es super wäre, Deutsch zu können.

1991 lief bei uns eine Fernsehreportage über das kleine Land der großen Berge, Ordnung, Käselöcher und Bankgeheimnisse. Darin wurde berichtet, dass die dortige Hauptsprache nicht etwa «Schweizisch» ist, wie viele Amerikaner vermuten, sondern Deutsch. Und noch ein Anhaltspunkt zu meinen, dass es spitze wäre, Deutsch zu können.

1992 fing ich an, als Nebenfach Geschichte zu studieren. Dabei fiel mir auf, wie viele der interessanteren Figuren der Weltgeschichte Deutsche gewesen waren. Darüber hinaus befanden sich in meinen Geschichtskursen einige Studenten, die mir gegenüber sehr im Vorteil waren, da sie vorher Fremdsprachen gebüffelt hatten. Ich kam nun immer mehr zu der Überzeugung, dass es richtig klasse wäre, Deutsch zu können.

1993 las ich die Novelle *Flowers for Algernon*, welche von einem geistig behinderten Mann namens Charlie handelt, der sich einer revolutionären Operation unterzieht, die ihn zu einem Genie macht. Leider ist die Verwandlung nicht nachhaltig, und am Ende der Geschichte ist er zum Leidwesen aller Beteiligten wieder genauso wenig intelligent wie am Anfang. Auf dem Zenit seiner intellektuellen Leistungsfähigkeit aber kann Charlie deutsche wissenschaftliche Texte lesen! Als er dann schließlich merkt, dass er seine Fähigkeiten schnell verliert, versucht er vergeblich, die deutschen Bücher zu lesen, die er noch kurz zuvor so nützlich fand. Ich wurde mir immer sicherer, dass es irre wäre, Deutsch zu können.

1994 zog ich nach Chicago. Bis dahin hatte ich meinem Vater seine Erzählungen über die deutschen Vorfahren meiner Heimatgegend nicht uneingeschränkt abgenommen. Erst in Chicago, wo ich merkte, dass im Gegensatz zu meiner Heimatgegend große weiße, blonde Menschen mit deutschen Nachnamen eindeutig in der Minderheit waren, wirkten diese Erzählungen mehr als nur theoretisch plausibel. Nun war ich felsenfest der Überzeugung, dass es riesig wäre, Deutsch zu können!

Nach einem Vormittag mit dem Textbuch im Februar 1994 hatte ich eine neue Leidenschaft entwickelt: die deutsche Sprache. Oder wie ich es zu sagen pflege: Deutsch, die Sprache mit Umlauten und so vielem mehr!

3   Die Vergangenheitsbewältigung

Es mag umstritten sein, ob Deutsche noch Probleme mit der Vergangenheitsbewältigung haben, aber es steht völlig außer Zweifel, dass Deutschlernende große Probleme mit der Vergangenheitsbewältigung der deutschen Sprache haben.

Besonders schwer haben es die Asiaten. Zum Beispiel kommt es nicht selten vor, dass ein Chinese im Deutschen Folgendes sagt: «Ich sage zu viel gestern.» Schließlich hat das Chinesische tatsächlich nur eine mögliche Zeit, die mit Hilfe von verschiedenen Adjektiven näher bestimmt wird. Der Chinese könnte dabei behaupten, dass sein grammatikalisches Verbrechen nicht so schlimm sei, da die Bedeutung anhand der Zeitangabe eindeutig ist, und recht hat er, aber es klingt dennoch komisch. Da haben wir Englischmuttersprachler es eindeutig leichter. Es würde mir nie in den Sinn kommen zu sagen: «Ich falle letzte Woche bei der Sprachprüfung durch.» Darüber hinaus gibt es noch etwas, was die deutsche Vergangenheitsbewältigung für Englischmuttersprachler erleichtert: Die für Asiaten quälende Bildung des Plusquamperfekt wird im Englischen und Deutschen ziemlich gleich gemacht.

Nichtsdestotrotz ist «leichter» leider nicht mit «leicht» gleichzusetzen. Wie nahezu alle Deutschlernenden haben auch Englischmuttersprachler Schwierigkeiten bei der Wahl zwischen der Imperfekt- und Perfektform. Im Englischen wie im Deutschen benutzt man das Perfekt, wenn eine Handlung in der Vergangenheit begann und noch relevant für die Gegenwart ist. Aber hier hören die Ähnlichkeiten auch schon auf. Wenn ein Amerikaner beispielsweise zum Ausdruck bringen will, dass er noch in einer

Stadt wohnt, würde er im Englischen nicht sagen: «Ich *wohne* seit fünf Jahren in dieser Stadt», sondern: «Ich *habe* fünf Jahre in dieser Stadt *gewohnt*.» Diese deutsche Ausdrucksweise ist zwar eine Umstellung, aber das Problem hält sich noch in Grenzen. Was die ganze Sache wirklich schwierig macht, ist, dass es oft lediglich eine Frage des Stils ist. In meinem Grammatikbuch wurde es wie folgt erklärt: «Wenn man spricht, benutzt man in der Regel das Perfekt, während wenn man schreibt, man sich öfter des Imperfekts bedient.» Dies finde ich nicht sonderlich stilvoll.

Es ist mir oft aufgefallen, dass Ausländer, die nicht bereits vor ihrer Ankunft in Deutschland die Sprache in Kursen lernten, eher Probleme mit der Handhabung des Imperfekt haben. Mein Bekannter Juri zum Beispiel, ein Russe, der Deutsch sozusagen auf der Straße lernte, bezeichnete das Imperfekt abwertend als «Kinderbuchdeutsch». Ich hingegen bevorzugte das Imperfekt, da es der englischen Sprachweise eher entspricht und oft einfach schneller gesagt werden kann. Ich meine, wozu soll man sagen: «Ich *bin* gestern über die Straße *gegangen*», wenn man mit weniger Silben sagen kann: «Ich *ging* gestern über die Straße»?

Offenbar beschäftigte sich sogar Shakespeare mit der deutschen Sprache, in der bei der Bildung der Vergangenheitsform schließlich die Frage gilt: «Sein oder nicht sein?» Im modernen Englischen ist dies nie eine «Sache des Seins», im Deutschen schon. In dem Grammatikbuch von Kerry hieß es: «Verben mit dem Hilfsverb ‹sein› bezeichnen gewöhnlich eine Bewegung von einem Punkt zu einem anderen oder eine Zustandsveränderung.» Aber nur wenn das Verb kein direktes Objekt haben kann, sodass man sagt: «Ich *bin* nach Hamburg gefahren, wo ich mich total verfahren *habe*.» Obwohl ich dies schon kompliziert genug fand, wurde es noch schwieriger. Laut dem Buch gibt es Wörter, die entweder mit «sein» oder «haben» benutzt werden, wie zum Beispiel «laufen», «fahren», «fliegen» oder «schwimmen». Somit kann man sagen: «Otto *hat* den BMW durch den Tierpark gefahren und *ist* mit ihm gegen einen mit Affen und Äpfeln ausgestatteten Baum gefahren.» Die Entscheidung ist davon abhängig, wohin man den Fokus lenken will: In diesem Beispiel zuerst auf die Handhabung des Wagens und dann auf den mit Affen und Äpfeln ausgestatteten Baum. (Dies fand ich alles tierisch kompliziert.)

Was in Kerrys Buch allerdings nicht erwähnt wurde, waren die Zweifelsfälle bei den Wörtern «stehen» und «anfangen»: Der eine Deutsche sagt «Wann *sind* wir angefangen?» oder «Ich *bin* da gestanden», während ein anderer sagt: «Wann *haben* wir angefangen?», oder: «Ich *habe* da gestanden.» Ich muss gestehen: Ich stehe nicht auf dieses Durcheinander.

Inzwischen kann ich zumindest verstehen, weshalb das Verb «sein» selbst «sein» als Hilfsverb verwendet. (Jeder ist schließlich gerne unter seinesgleichen.) Aber was mir immer noch nicht klar ist, ist Folgendes: Wo, bitte schön, ist die Bewegung beziehungsweise Zustandsveränderung in dem Satz «Ich *bin* da geblieben und nichts *ist* geschehen»?

Trost fand ich jedoch in der Aussage, dass die englische Art der Bildung der Vergangenheitsform für Deutsche fast «unlernbar» sei.

—

Nach einigen Wochen intensiver Arbeit mit dem Geschenk von Kerry wurde mir zwar klar, dass ich Deutsch lernen konnte, ebenso klar war aber, dass ich nach der Lektüre nur eines einzigen Buchs wohl nicht fließend Deutsch würde sprechen können. Ich entschloss mich also, auf die Suche nach mehr Wissen zu gehen; ich begab mich sozusagen auf Vokabeljagd. Ich ging davon aus, dass das beste Vokabelrevier die Staatsbibliothek wäre, da hier die Auswahl an Büchern zum Deutschlernen sehr groß war. Viele waren allerdings so alt, dass sie in Fraktur gedruckt waren, und viele von den «neueren» philosophierten über das deutsche Vergangenheitsbewältigungsproblem. Beides erschwerte meine Mission.

Ich kaufte also mehrere neuere Bücher in verschiedenen Läden. Einige hatten jedoch Tippfehler. So beinhalteten die zweisprachig gedruckten *Novellen aus Wein*, was der Titel nicht vermuten ließ, Kurzgeschichten aus der Hauptstadt der Donau-Doppelmonarchie um die Jahrhundertwende. Eine Geschichte darin war eine wunderschöne, traurige Liebesgeschichte, in welcher die Geliebte starb. Heute hätte sie auf «Neudeutsch» wahrscheinlich *K.o. im K.u.K.* oder so ähnlich geheißen.

Auf der Suche nach Vokabeln ging ich sogar in die Kirche. Es gab zu der Zeit in Chicago noch Gottesdienste, die auf Deutsch abgehalten wurden. Leider waren an jenem Sonntag nur drei Personen anwesend: der Priester, eine alte Dame und ich. Die Frau sah aus, als ob sie zu der Zeit geboren war, in der Bismarck noch nicht zum alten Eisen zählte; dennoch sprach ich sie nach dem Gottesdienst an. Ich hatte den Eindruck, dass sie etwas schwerhörig war, denn immer wenn ich ihr etwas auf Deutsch sagte, schüttelte sie den Kopf und entschuldigte sich, dass ihr Englisch so schlecht wäre.

Seit meinem Umzug nach Chicago wohnte ich in einem sehr bescheidenen Wohnhaus, in welchem die Miete entsprechend günstig war. Schon in den ersten Tagen fiel mir auf, dass ich fast der einzige Einheimische im Hause war. Ich hatte den Eindruck, dass dort mehr Nationalitäten vertreten waren als in den meisten UNO-Gebäuden. Die erste Person, die ich dort kennenlernte, war ein dreißig Jahre alter Kroate, der kein Englisch sprechen konnte, dafür aber sehr gut Deutsch. Da mein Aktivwortschatz im Deutschen zu dieser Zeit überwiegend aus Partyfloskeln bestand, bekam er zunächst wohl ein leicht verzerrtes Bild von meiner Persönlichkeit. Aber als sich sein Englisch und mein Deutsch im Laufe der Wochen langsam verbesserten, wurden unsere Gespräche etwas weniger eintönig.

In meiner ersten Woche in Chicago traf ich meinen kroatischen Nachbarn einmal im Hausflur, als er sich gerade lautstark mit dem Hausmeister unterhielt. Obwohl auch ich nicht verstand, was er dem älteren Hausmeister sagen wollte, war es offensichtlich, dass er von dessen Antwort auf seine auf Deutsch, Kroatisch und Russisch gestellte Frage ziemlich genervt war. Diese lautete nämlich jedes Mal: «Yo no comprendo Español.» Auch wenn die USA ein Einwanderungsland ist, wissen viele Amerikaner überhaupt nicht, wie man mit Leuten umgehen sollte, die kein Englisch können. In solch einer Situation kommt einem Amerikaner oft alles einfach spanisch vor. Für viele davon gibt es da nur eine Lösung: einfach lauter sprechen.

Der Hausmeister war übrigens recht freundlich, aber er sah auch so aus, als ob er seit den siebziger Jahren nicht mehr abgestaubt worden war. Eines Tages, als ich mich mit ihm am Empfang unterhielt, kam ein Mexikaner vorbei, um sich zu beschweren. Obwohl jener viel besser Englisch als der Kroate sprach, fiel ihm das passende Wort für seine Beschwerde nicht ein. Verzweifelt beendete er seinen englischen Satz mit einem spanischen «La cucaracha! La cucaracha!» Vielleicht war der Hausmeister wirklich ernsthaft wegen des Problems besorgt, aber sein darauffolgender Tanz vermittelte einen etwas anderen Eindruck. Die Luft im Raum wurde merklich dicker, und das nicht nur wegen des aufgewirbelten Staubes ...

Zu meinem Leidwesen stellte ich kurz darauf fest, dass Kakerlaken gar nicht so witzig sind. Beim Einzug dachte ich noch, dass ich allein wohnen würde. Dachte ich. Das erste Anzeichen bemerkte ich, als einmal das Telefon klingelte, während ich gerade dabei war, mein Abendbrot zuzubereiten. In meiner Unwissenheit ließ ich mein Sandwich unbeaufsichtigt auf der Theke liegen. Als ich dann zurückkehrte, sah ich es in einem kleinen Loch in der Wand verschwinden. Noch schlimmer war allerdings der kleine Zettel, den die Kakerlaken in Blockschrift hinterlassen hatten: «Nächstes Mal, Landei, wäre es besser mit etwas weniger Ketchup.» Ferner lernte ich schnell, dass man in der Nacht das Licht anmachen sollte, BE-VOR man aufsteht, um zur Toilette zur gehen. Man schläft nicht mehr so schnell wieder ein, nachdem man ein paar Kakerlaken zwischen den Zehen zermatscht hat. IGITT!

Dieser Schrei des Entsetzens, der manchmal von mir nachts kam, ähnelte demjenigen, der an einem Wochenende aus der Fremdsprachenfilmabteilung eines unauffälligen Videoladens in Chicago drang, und zwar: «Ach! Nicht schon wieder Gérard Depardieu!» Als ich dem Mann an der Kasse die zwei Dollar für meinen Film überreichte, sagte er zu seinem Kollegen nebenan, der in die Richtung des Schreis schaute: «Das war bestimmt noch ein Germanistikstudent.» Ich fand es sehr beruhigend, dass es offenbar nicht nur mir so ging ...

Ich hatte wohl gerade das letzte deutschsprachige Video des Ladens ausgeliehen, das weder vom Holocaust noch vom Zweiten Weltkrieg handelte. Leider war die Auswahl in diesem Bereich ausgesprochen winzig. In einem Deutsch-Textbuch hatte ich zu meiner Verwunderung kurz zuvor gelesen, dass in den zwanziger Jahren Berlin eine harte Konkurrenz für Hollywood gewesen wäre und der Traumfabrik ordentlich Paroli geboten hätte. Das Textbuch erklärte aber, dass dies wirklich schon verdammt lange her sei. Heutzutage hat Hollywood zwar durchaus seine Probleme, aber knallharte Konkurrenz aus Berlin gehört mit Sicherheit nicht dazu.

Auf der Suche nach neuen Quellen für mein Bestreben, die deutsche Sprache zu erlernen, stellte ich leider fest, dass es in Chicagos Videoläden viel mehr französische Filme als deutsche gab – selbst wenn man nur diejenigen mit Gérard Depardieu in der Hauptrolle berücksichtigte. Darüber hinaus handelten die meisten deutschen Filme in irgendeiner Form vom Zweiten Weltkrieg, wie *Das Boot* oder *Die Blechtrommel* – und von diesen hatten dann auch nur wenige das in Amerika erforderliche «Happy End». (Mit dieser Art der Vergangenheitsbewältigung hatte ich nicht gerechnet ...)

Auf der Suche nach mehr Deutsch stellte ich auch fest, dass es zu einer bestimmten Zeit im Chicagoer Radio eine deutschsprachige Sendung gab. Die meisten der dort gespielten Lieder fand ich recht gut; ich stellte aber erst sehr viel später fest, dass eine ganze Menge von ihnen nicht von Deutschen gesungen wurden. Es ist schon ein wenig merkwürdig, dass ich viel Deutsch von Roger Whittaker, David Hasselhoff, Milva und Howard Carpendale gelernt habe, aber deren Lieder gefielen mir zumeist besser als diejenigen von Deutschen, die in dem Radiosender gespielt wurden. Das waren dann nämlich nicht gerade die moderneren, sondern häufig Schlager aus den dreißiger, vierziger und fünfziger Jahren wie *Weiße Taube, brauner Bär* von Gus Backus.

Im Sommer 1994 entdeckte ich dann einen deutschen Stammtisch. Es waren nicht nur viele Deutsche dort, sondern auch andere Europäer, die so gut Deutsch sprachen, dass ich dachte, sie wären Deutsche. Aber keiner von ihnen hielt mich auch nur ansatzweise für einen Deutschen, noch nicht einmal für eine Person, die Deutsch verstand. Bereits die erste Frage, die mir dort gestellt wurde, brachte mich ins Stolpern. Eine Frau wandte sich an mich: «Gibst du mir bitte das Besteck?» Mein verzweifelter Blick und meine Antwort «Ick nickt versstehen, was dieser Bessteck ist?» haben sie leider nicht dazu animiert, mir weitere Fragen zu stellen. Weder die weiße Taube noch der braune Bär hatten schließlich von so etwas erzählt.

Ein hilfsbereiter Deutscher merkte, wie wortkarg ich war, und sagte mir: «David, du musst einfach sprechen!» Ich dachte: «Wenn überhaupt kann ich ja nur ‹einfach› sprechen», und schwieg weiter vor mich hin. Erst im Laufe der Zeit wurde mir klar, was er eigentlich gemeint hatte. Deutsche glauben offenbar aufgrund ihrer eigenen Erfahrung mit dem Englischsprechen, dass man einfach die Redehemmungen loswerden und losplappern muss. Dabei vergessen sie allerdings, dass sie zuvor viele Jahre lang Englisch gelernt haben und dadurch über einen großen passiven Wortschatz verfügen. Das ist es aber, was einem Deutschlernenden anfangs arg fehlt. Somit ist für ihn die Aufforderung «Sprich einfach» vergleichbar mit dem Versuch, einen Klavieranfänger einfach auf die Bühne vor ein großes Publikum zu schieben, in der Hoffnung, dass dies die Tatsache ausgleicht, dass er davor kaum Klavierstunden hatte.

Als wenn diese Erfahrung nicht schon entmutigend genug für mich gewesen wäre, musste ich auch noch feststellen, dass man auf amerikanischen Partys den Mädchen besser nicht sagen sollte: «Ja, Süße, du hast richtig gehört: Ich verbringe meine Freizeit mit den Feinheiten der deutschen Grammatik.» Die Reaktionen darauf fand ich noch niederschmetternder als die deutschen Nachkriegsfilme. In so einer Situation hätte wohl nicht einmal Gérard Depardieu eine Chance gehabt.

Eins wurde mir nun langsam klar: Wenn ich die Vergangenheits- und andere Formen der deutschen Sprache beherrschen wollte, brauchte ich mehr als ein paar Textbücher und Filme – ich musste einen Kurs besuchen, der mich wieder auf Kurs bringen würde.

4 Der, die, *was*?!

Das ist DIE Frage. Für Deutschlernende gibt es natürlich auch jede Menge andere Fragen, aber die Frage «Der, die, *was*?!» ist DIE Frage.

Ich glaube, deutsche Muttersprachler werden niemals richtig verstehen, wie tierisch fies die drei Musketiere «der», «die» und «das» sind. Schließlich beschweren sich Deutsche schon oft über Pronomen, wenn sie Französisch, Spanisch oder Italienisch lernen. Doch da stehen nur zwei zur Auswahl: feminin und maskulin. Man mag also fragen: Wo ist das Problem? Denn wie es sich bei den Geschlechtern gehört, respektieren sie sich und das Eigentum des anderen. Und wie es sich auch bei den meisten Menschen verhält, so kann man in diesen Sprachen oft auf den ersten Blick erkennen, was für ein Geschlecht etwas hat. Im Englischen ist es noch leichter, den richtigen Artikel zu erraten – dort steht nämlich nur einer zur Auswahl. Da kann nicht viel schiefgehen. Aber so ist das nicht im Deutschen, wo es zum Leidwesen aller, welche die Sprache nicht mit der Muttermilch aufgesogen haben, drei gibt. Und oft muss man dann auch dreimal raten, welcher denn nun anzuwenden ist, sodass die Dinger einfach auswendig gelernt werden müssen.

Die Hinweise in meinen ersten Grammatikbüchern zum Thema «Geschlechterkampf im Deutschen» waren nur bedingt hilfreich. Das erste Buch sagte: «Am effektivsten ist es, bei jedem neu gelernten Wort im Deutschen einfach das Geschlecht des Wortes auswendig zu lernen.» Tja, dieser Vorschlag ist ungefähr so nützlich wie der folgende für Englischlernende: «Wenn man wissen will, wie ein Wort im Englischen auszusprechen ist, dann sollte man sich beim Lernen eines neuen Wortes die Aussprache merken.» Leider waren keine Hinweise dabei für Leute ohne fotografisches Gedächtnis. Das zweite Buch sagte: «Die Geschlechter der Hauptwörter muss man auswendig lernen.» Wenig tröstlich, diese Aussage, aber immerhin etwas ehrlicher. Das dritte Buch sagte einfach: «Die Geschlechter der Hauptwörter im Deutschen zu lernen ist schwer.» Noch weniger tröstlich, aber dann weiß man zumindest, wo man steht.

Ich suchte weiter und fand in einigen anderen Grammatikbüchern nützliche Hinweise zu diesem Thema. Eine Regel lautete: «Alle Wörter, die mit *-heit* oder *-keit* enden sind weiblich, wie zum Beispiel ‹Dummheit›, ‹Abhängigkeit› und ‹Ärgerlichkeit›.» Diesen Hinweis fand ich sehr nützlich, aber ich fragte mich, warum man diese Regel nicht vereinfacht, indem man schreibt, dass alle Wörter weiblich sind, die mit *-eit* enden. Dann fiel mir ein: Vielleicht wollte man hier *keinen* Streit. Ein weiterer Tipp war: «Wörter, die mit *-e* enden, sind meistens weiblich, wie ‹Frage›, ‹Lüge› und ‹Pappnase›.» Ich freute mich über diesen Hinweis, zumindest bis mir einige Ausnahmen über den Weg gelaufen waren. Danach drohte die Gefahr, dass ich sowohl *das* Interesse als auch *den* Glauben verlor. Ich fragte mich schließlich, was *der* Käse soll.

Als wenn das nicht schon kompliziert genug wäre, gibt es einen Teil des deutschen Wortschatzes, der sozusagen «transsexuell» ist! Bei diesen Wörtern muss der Deutschlernende immer auf *der* Hut sein, wenn er diese unter *einen* Hut bringen will. Da gibt es *die* Kiefer und *den* Kiefer, *den* Schild und *das* Schild sowie *die* Kunde und *den* Kunden. Theoretisch könnte man im Deutschen also sagen: «*Der* Erbe freute sich bis *ins* Mark über *sein* Erbe in *der* Mark.» Oder: «Da *der* Messer *sein* Messer holte, holte *der* Leiter *seine* Leiter.» Welch ein Dilemma! (Oder wäre dies sogar vielmehr ein Trilemma …?)

Besonders frustrierend sind die Synonyme, die unterschiedliche Geschlechter haben. Zum Beispiel bekommt man vor dem Essen eine Speisekarte auf einem Stück Papier. Dies Papier ist entweder *der* Zettel, *die* Seite oder *das* Blatt. Das Essen ist *der* Nährwert, *die* Nahrung oder *das* Nahrungsmittel. Und nach dem Essen kriegt man entweder *den* Nachtisch, *die* Nachspeise oder *das* Dessert. Aber ich kriege dann eine Krise und einen Föhn! Andere Beispiele, die ich einfach unlogisch finde: Der Unmensch ist immer männlich, auch wenn es ein Monstrum ist, die Person ist immer weiblich, auch wenn es ein Mann ist, und das Mädchen ist immer sächlich, auch wenn es eine Frau ist. Das Geschlecht kann auch eine große Auswirkung auf die Bedeutung des Satzes haben. Schließlich gibt es einen deutlichen Unterschied zwischen «Der macht die Musik» und «Die Macht der Musik». Das nenne ich nun Macht!

Die Krönung des «Geschlechterkampfs» im Deutschen ist wohl die Entscheidung zwischen *dem* See und *der* See. Oft haben sogar Deutsche Probleme damit zu wissen, was genau der Unterschied ist. Es mag ihnen zwar klar sein, dass im Norden *die* Ostsee und im Süden *der* Bodensee liegt, aber bei weniger bekannten Seen in weit entfernten Ländern wird es schon schwieriger. Ich habe mir sagen lassen, dass das Geschlecht grundsätzlich von der Größe der Wassermasse abhängt. Ich bin froh, dass diese Verwandlungsfähigkeit nur beim Wort «See» vorkommt und nicht bei jedem männlichen Wort. Wenn beispielsweise der Mann, der Baum oder der Streit allesamt beim Wachsen plötzlich weiblich würden, wäre *diese* Berg des Deutschlernens zu hoch für mich.

Oft gibt es einfach kein Entkommen: Wenn man nicht weiß, ob das Wort männlich, weiblich oder sächlich ist, kann man nicht viel damit anfangen. Wer dies nicht glaubt, sollte einfach mal ausprobieren, ein paar Sätze ohne Artikel zu bauen. Bestenfalls klingt man wie jemand, der frisch aus einem slawischen Land eingewandert ist, wie der sprichwörtliche polnische Klempner: «Sie haben

Problem mit Toilette in Wohnung? Für Sie habe ich Termin in erste Woche nach übernächstem Vollmond.» Schlimmstenfalls kommt dabei nur ein fürchterliches Kuddelmuddel heraus. Die einzige halbwegs taugliche Lösung, die ich bisher gefunden habe, ist einfach ans Ende jedes Hauptwortes ein «-chen» oder «-lein» zu packen, was eine Geschlechtsumwandlung ins Neutrum zur Folge hat. Dies ist aber leider nur ein sehr kurzfristiges Alternativchen, mittelfristig ist dieses Mittelchen ziemlich auffällig.

Nicht einmal bei Ländernamen findet man einen Zufluchtsort. Im Deutschen hat man sowohl *die* Türkei und *den* Irak als auch *die* Schweiz und *den* Sudan. Bei manchen Ländern kann man nicht einmal sicher sein, ob man einen Artikel zu berücksichtigen hat, beispielsweise wenn man von *der* Tschechei oder Tschechien redet. Selbst wenn man den richtigen Artikel wählt, ist man vor amüsierten Blicken nicht sicher. Dies stellte ich fest, als ich einmal einen Brief in die Alpen abschickte und auf dem Umschlag in der Zeile unter Luzern «Die Schweiz» schrieb – was man bei der Post total niedlich fand.

———

Um Hilfestellung bei dieser und anderen Fragen zu finden, wandte ich mich im Herbst 1994 an das Goethe-Institut Chicago. Die Entscheidung fiel mir leicht: Der Standort in der Innenstadt war erstklassig, die Mitarbeiter wirkten teutonisch effizient, und es wurde eine Vielfalt an Kursen angeboten. Ich entschied mich für einen Intensivkurs, bei dem man vier Wochen lang vier Tage die Woche jeweils drei Stunden Unterricht hatte. Bei der Anmeldung fragte ich die Amerikanerin, die im Goethe-Institut arbeitete, ob man als Deutschlernender jemals die drei Artikel beherrschen könne, immerhin schien sie mir ein perfektes Deutsch zu sprechen. Darauf entgegnete sie: «Nein. Ich lerne Deutsch jetzt schon seit etlichen Jahren, und ich mache in dieser Hinsicht immer noch viele Fehler. Ich sage 99-mal das Kabel, und dann schleicht sich plötzlich der Fehlerteufel ein, und ich sage: Ich brauche einen Kabel. So ein Mist.» Sie fuhr fort: «Absolute Fehlerfreiheit gibt es bei den dreien nicht. Es ist wie bei dem wissenschaftlichen Versuch, die Temperatur des absoluten Nullpunktes zu erreichen. Man kann viel Geld ausgeben und sich eine Menge Mühe machen, aber man kommt dabei nur näher ans Ziel. Ankommen geht nicht.»

Bevor der Kurs begann, dachte ich, dass ich eigentlich fleißig sei. Dort lernte ich, noch fleißiger zu sein. Unser Lehrer war herzlich, aber hart, und zwar so hart, dass man in seinem Kurs viel Mut brauchte. Wir im Kurs fanden es passend, dass er «Herr Hartmut» hieß. Herr Hartmut wohnte schon seit vielen Jahren in den USA. Nach langjährigen vergeblichen Versuchen, hoffnungslos untalentierten Amerikanern die deutsche Sprache beizubringen, hatte er offenbar seine Geduld verloren. Ich weiß nicht, was mir mehr zu denken gab: wie er böse brummte, wenn ich nicht 110 Prozent meiner Hausaufgaben gemacht hatte, oder wie er schluchzend das Gesicht in die Hände fallen ließ, nachdem ich einen Absatz mit dem stärksten amerikanischen Akzent seit der berühmten Rede John F. Kennedys 1963 in Berlin vorgelesen hatte.

Am ersten Abend mussten wir uns den anderen in der Klasse auf Deutsch vorstellen. Als ich an der Reihe war, kam ich ins Stottern. Mit einem leichten Knurren sagte Herr Hartmut zu mir: «Herr Bergmann, sprechen Sie sich aus!» Das war leichter gesagt als getan. Schließlich schaffte ich es aber mit viel Mühe doch noch. Nachdem wir uns alle vorgestellt hatten, sagte Herr Hartmut: «Es freut mich, Sie kennenzulernen und Sie hier im Kurs zu haben. Herr Bergmann, gehen Sie in der ersten Pause in die Bibliothek und leihen Sie sich einige Kassetten und Bücher zum Thema Aussprache aus!»

Wir waren acht Leute im Kurs. Die meisten von uns waren Amerikaner, die aus diversen Gründen Interesse an der deutschen Sprache hatten. Die exotische Ausnahme war Paola aus Venezuela. Ihr wohlhabender Vater hatte sie nach Amerika geschickt, damit sie Englisch lerne und er auf diesem Wege eine gelehrte Tochter bekomme. Als Herr Hartmut sie daraufhin fragte, wieso sie denn im Goethe-Institut Chicago sei, erklärte sie uns: «Nach einigen Monaten sagte ich meinem Vater ganz stolz am Telefon, dass ich inzwischen gut Englisch könne, und ich fragte, ob ich jetzt nach Hause fahren dürfe. Seine Antwort war: ‹Töchterlein, ich bin stolz auf dich. Bleib da und lern jetzt Deutsch.›» Sie seufzte nachdenklich und fügte hinzu: «Mein Vater ist etwas streng.»

Beim Sprachenstudieren finde ich das Auswendiglernen von Regeln zwar nervig, aber ich hasse nichts so sehr wie Ausnahmen. Ich beschwerte mich in meinem ersten Kurs deshalb längst nicht so sehr über die drei Musketiere «der», «die» und «das», wie dies meine Nachbarin Paola stets tat. Sie gehörte zu denen, die sprachliche Ausnahmen «charmant», das Auswendiglernen von Regeln hingegen «unzivilisiert» finden. Daher war ihr Deutschmotto: «Der die das, des der des, dem der dem, den die das, äääääääää-ähhhhhhhhhhh!»

Der Kurs bei Herrn Hartmut war nicht nur spannend, es gab gelegentlich auch Spannungen. An einem Abend beispielsweise machte Paola einen Fehler. Sie wollte sich entschuldigen, verschlimmerte die Situation aber nur noch, denn sie sagte: «Entschuldigung, Sie!» Darauf folgte ein Teufelskreis, in dem Herr Hartmut immer genervter wurde – bei Fehlern duldete er kein Wenn und Aber und schon gar kein Abermals. Immer wieder sagte er: «Es heißt entweder ‹Entschuldigen Sie› oder ‹Entschuldigung›!» Paola kapierte das jedoch nicht so richtig und wiederholte stur: «Entschuldigung, Sie!» So verlief dann die ganze zweite Kurshälfte …

Die meisten von uns machten den Kurs bis zum Ende mit. Bei

einigen lag dies im Wesentlichen daran, dass man am Anfang des Kurses den ganzen Betrag bezahlen musste. Bei mir hatte das einen ganz anderen Grund: Der Kurs machte mir einfach Spaß! Ich war stolz darauf, der einzige Teilnehmer zu sein, der keine einzige Stunde verpasst hatte. Wenn schon durch nichts anderes, so habe ich doch zumindest durch Anwesenheit geglänzt.

Im Laufe des Kurses lernten wir auch viel über bedeutende deutsche Firmen. In den USA sind zum Beispiel die Schuhhersteller *Adidas* und *Puma* sehr bekannt, auch wenn es dort weitaus weniger bekannt ist, dass diese Firmen deutsche Wurzeln haben. Noch unbekannter ist die Art und Weise, wie man auf die Markennamen der beiden Firmen gekommen ist. Der Gründer von Adidas hieß Adolf Dassler. Da sein Spitzname «Adi» war, entschied er sich, seinen Nachnamen für den Markennamen auch abzukürzen, und so kam er auf Adidas. Nach einem Streit viele Jahre später verließ sein Bruder, Rudolf, die Firma und gründete eine eigene Firma namens Puma. Zum Glück war sein Name nicht Derek-Dietrich, sonst wäre er womöglich für seine neue Firma auf einen viel weniger erfolgreichen Namen gekommen: *Derdiedas*.

Am letzten Tag der vier Wochen informierte Herr Hartmut uns über die verschiedenen Prüfungen, die man ablegen konnte, um anderen zu beweisen, dass man etwas Deutsch gelernt hat. Ich blieb hart und mutig und Herrn Hartmut treu und besuchte noch mehr Kurse. Ende 1994 schaffte ich das Zertifikat Deutsch als Fremdsprache und Ende 1995 die Zentrale Mittelstufenprüfung. Das Goethe-Institut bot andere Prüfungen an, aber die waren mir dann doch zu schwer. Das so unschuldig klingende Kleine deutsche Sprachdiplom war mir damals eindeutig eine Nummer zu groß. Und an das Große deutsche Sprachdiplom wollte ich noch gar nicht denken.

Nachdem ich die Zentrale Mittelstufenprüfung mit einem «sehr gut» bestanden hatte, wurde der strenge Blick von Herrn Hartmut sogar ein bisschen weicher. Er sagte mir voller Stolz: «Herr Bergmann, mit den Scheinen in der Tasche haben Sie jetzt den Beweis, dass Sie weder von Vorkenntnissen völlig unvorbelastet noch von jeglicher Ahnung unbeleckt sind.» Ich schwieg – aber nicht weil mir das Ganze nun zu sentimental wurde, sondern weil ich mich nicht mehr daran erinnern konnte, ob «Vorkenntnis» maskulin, feminin oder Neutrum war. Ääääähhhh …

PS
Wenigstens hat das Deutsche ein «es», genauso wie das Englische. Eine Sprache, die kein «es» hat, kommt mir suspekt vor. Mit dem Französischlernen habe ich sofort aufgehört, sobald ich erfuhr, dass die Sprache über kein «es» verfügt, sodass man zum Beispiel sagen muss: «*Er* regnet.» Ich meine: Pardon? Wer regnet denn hier?

5   Sprich dich aus!

Als ich mit dem Textbuch von Kerry meine Odyssee des Deutschlernens begann, dachte ich, dass das Fremdsprachenlernen eigentlich nur aus Vokabelnpauken und Grammatikbüffeln bestünde. In der Highschool hatten wir schließlich im Deutschkurs nicht allzu sehr auf eine präzise Aussprache geachtet. Erst nach einiger Zeit des ernsthaften Deutschlernens am Goethe-Institut begriff ich, was eine der Austauschschülerinnen aus Bonn damals meinte, als sie sagte, dass unser amerikanischer Deutschlehrer kaum zu verstehen wäre. Als ich von Herrn Hartmut den Befehl erhielt, mich in der Bibliothek intensiv mit einigen Kassetten und Büchern zum Thema Aussprache auseinanderzusetzen, tat ich dies also ohne Widerstand. Denn schließlich hatte ich es satt, immer wieder zu hören: «Das klang etwas wie Deutsch, aber ich habe nichts verstanden.»

Es mag nicht überraschend sein, dass Arnold Schwarzenegger und ich nicht viele Gemeinsamkeiten haben, aber eine haben wir auf jeden Fall: Wir haben beide einen relativ starken Akzent, wenn wir die Muttersprache des anderen sprechen. Die Fähigkeit, eine Fremdsprache akzentfrei zu sprechen, liegt im Wesentlichen an drei Faktoren:

Erstens ist das Alter, in dem man mit der Sprache anfängt, entscheidend. Wie viele ältere Sprachstudenten voller Neid feststellen, lernen Kinder extrem schnell, wie man eine Fremdsprache ohne einen Hauch von Akzent ausspricht. Aber sogar geistige Kraftprotze wie Thomas Mann, Henry Kissinger, Albert Einstein und Arnold Schwarzenegger konnten ihre dicken deutschen Akzente im Englischen nicht loswerden, auch nachdem sie viele Jahre in den Staaten gelebt hatten.

Zweitens ist Erfahrung mit Sprachen sehr wichtig. Wenn man schon mal eine Fremdsprache erlernt hat, dann ist man bei der nächsten Fremdsprache viel aufmerksamer hinsichtlich subtiler Unterschiede. Dies ist mit dem Spielen von Musikinstrumenten vergleichbar: Ein Konzertpianist im mittleren Alter kann in der Regel viel schneller das Klarinettespielen lernen als ein Mensch, dessen musikalische Erfahrung sich bislang auf das An- und Ausschalten des Radios beschränkt hat.

Drittens spielt die natürliche Begabung eine große Rolle. Einige haben sie, und einige haben sie nicht. Mein Bruder Larry kann zum Beispiel andere Leute so gut nachahmen, dass sie sich nicht einmal darüber ärgern. Dies kann ich nicht. Wenn ich es versuche, ärgert sich jeder.

Mit dem Deutschlernen begann ich ernsthaft eigentlich erst im Alter von 22 Jahren. Es war meine erste Fremdsprache. Und ich bin nicht sonderlich sprachbegabt. Daher der Akzent. Bei den Umlauten habe ich von vornherein Schwierigkeiten bei der Aussprache erwartet, da diese Buchstaben fremd aussehen. Aber bei den anderen ahnte ich zunächst nichts Böses, was sich als ein großer Fehler meinerseits entpuppte. Laut einem Aussprachebuch in der Bibliothek verfügt das Deutsche im Lautsystem über 16 Vokale und 3 Diphthonge sowie 20 Konsonanten. Die maximal ausgebaute Silbenstruktur zeigt ein Wort wie «strolchst» oder «schluchzt» mit drei Konsonanten am Anfang und vier am Ende. Ferner hieß es: «Aussprache ist das Gewand, in dem uns die Sprache in der mündlichen Kommunikation entgegentritt.» Ich kam mir dabei etwas *underdressed* vor.

Es fing schon mit dem ersten Buchstaben an. Im Englischen gibt es keinen Unterschied zwischen einem kurzen A und einem langen. Ich wusste nicht einmal, dass es so einen Unterschied überhaupt geben könnte. In dem Buch hieß es aber, dass das kurze A richtig kurz und das lange A richtig lang ist. Meine Ohren brauchten jedoch, um den Klangunterschied zwischen «Stadt» und «Staat», «Fall» und «fahl» oder «Wall» und «Wahl» zu hören. Was das A im Deutschen anbetraf, war es für mich die Qual der Wahl.

Und wer A sagt, muss auch E sagen. Im Englischen werden deutsche Namen wie Christina und Christine gleich ausgesprochen, da wir bei der Aussprache des A und des E am Ende eines Wortes häufig nicht unterscheiden. Am meisten genervt von dieser Unfähigkeit sind in Amerika wohnende deutsche Frauen mit genau diesen Namen. Richtig genervt sind allerdings auch Amerikaner in Deutschland, wenn sie versuchen, ihrem Chef zu sagen, dass sie mehr Kohle haben möchten, und er bietet ihnen eine Cola an.

———

Ich befürchtete, all diesen Hürden nicht allein gewachsen zu sein. Als ich Herrn Hartmut dies sagte, verwies er mich auf die Abteilung für schwierige Fälle, wo ich professionelle Hilfe finden würde. Dort war eine gewissenhafte Frau Güllicher zuständig. Ihren Nachnamen fand ich sehr passend: Sobald man den richtig aussprechen konnte, hatte man das Ziel erreicht. Als ich meinen ersten Termin bei ihr hatte, begrüßte sie mich freundlich und stellte mir dann ein paar Fragen, um beurteilen zu können, wo meine Schwachstellen lagen. Nach einigen Minuten sagte sie: «Herr Bergmann, Sie brauchen Hilfe. Vielleicht ist es noch nicht zu spät.» Irgendwie fand ich dies nicht besonders ermutigend.

Während der ersten Pause ging ich in die Garderobe zurück, jedoch nicht um vor der Flucht meinen Mantel zu holen, sondern um neben meinem Mantel auch meinen Stolz an den Nagel zu hängen. Als Lehrerin war Frau Güllicher gut und gnadenlos. Die erste Aufgabe war das Aufsagen des Alphabets. Ich dachte mir: «Was könnte leichter sein?» Aber bei jedem Buchstaben wurde ihre Miene düsterer. Bei E konnte sie es nicht mehr aushalten: «Falsch! Alles ganz falsch!» So früh beim Aufsagen des Abc war ich seit dem Kindergarten nicht mehr gestoppt worden.

Viele Deutsche meinen, dass es gar nicht so schlimm sei, wenn man als Ausländer eine etwas «ungenaue» Aussprache im Deutschen habe. Aber wenn man die Buchstaben so ausspricht, sodass die Abkürzung von der Bahn-Betriebskrankenkasse (BBKK) eher wie «Baby-Kacke» klingt, dann muss etwas getan werden.

Mein Problem war, dass ich die Buchstaben «nach englischer Art» aussprach, also weniger hell und pur als im Deutschen und mehr diphthongiert. Zum Beispiel wird der englische O-Laut, wie in dem Wort *«Boat»*, bei weitem nicht so lang und hell ausgesprochen wie der deutsche O-Laut in dem Wort «Boot». Oder der E-Laut im Englischen wie im Wort *«Hey»* wird mehr wie «Ee-ii» ausgesprochen, im Gegensatz zu dem deutschen Wort «He».

Diese Neigung der englischen Vokallaute beeinflusst nicht nur die Vokale, sondern jeden Buchstaben, denn ein B ist eigentlich nicht nur ein B, sondern ein Bee. Deswegen gibt es bei der Aussprache im Deutschen keinen Unterschied zwischen R und Er, T und Tee, S und Es oder W und Weh. Viele Deutsche freuen sich über die Möglichkeit im Englischen, Abkürzungen zu bilden wie: «U R 2 hot 4 me» («you are too hot for me»), was «du bist zu heiß für mich» bedeutet, ohne sich dessen bewusst zu sein, dass es genauso im Deutschen ginge. Man könnte beispielsweise schreiben: «R trank T und S tat W.» Frau Güllicher lachte aber nicht, als ich fragte, ob ein klein geschriebenes w somit als ein «Wehchen» bezeichnet werden könnte. Angesichts ihres ernsthaften Blicks entschloss ich mich, mich wie der Buchstabe M zu verhalten, sprich emsig.

Frau Güllicher erklärte mir ferner, dass es zwei weitere wesentliche Unterschiede zwischen der deutschen und der englischen Aussprache gibt. Einer ist die Tatsache, dass im Deutschen die Konsonanten stark aspiriert werden. Um dies zu verdeutlichen, hielt sie ein Blatt Papier vor meinen Mund und bat mich, «totes Papier» auszusprechen. Dies tat ich. Das Papier war recht wenig beeindruckt. Dann hielt sie sich das Blatt vor den Mund und pustete die gleiche Phrase aus. Das Blatt flatterte fast davon. Als ich sie daraufhin fragte, ob der Sinn der Übung sei, dass man bei der Aspiration der deutschen Konsonanten kein Blatt vor den Mund nehmen müsse, sah ich nur ein müdes Lächeln auf ihren Lippen. Dann erklärte sie mir den dritten großen Unterschied: der sogenannte Knacklaut im Deutschen, auch Stimmritzenverschlusslaut genannt. Dieser verhindert, dass einzelne Laute kombiniert ausgesprochen werden und dadurch etwas schwammig werden. Diese deutsche Eigenschaft steht ganz im Gegensatz zum Englischen oder Französischen, wo ganze Wörter verbunden ausgesprochen werden.

Sie fasste dies alles so zusammen: Aufgrund dieser drei Unterschiede sollte das bekannte Sprichwort eigentlich «Deutsche Sprache, deutliche Sprache» heißen. Der knackige Klang der deutschen Sprache ist wohl die Hauptursache, weswegen manche Menschen sie als hart empfinden. Diese Eigenschaft ist ein zweischneidiges Schwert für Englischmuttersprachler: Sie erleichtert das Hörverständnis, erschwert aber dafür die authentische Aussprache. Während Englischmuttersprachler sich teilweise mächtig anstrengen, da die Muskeln im Hals und um den Mund etwas angespannter sein müssen, können viele Deutschmuttersprachler beim Englischsprechen eine eher ruhige Kugel schieben, und werden trotzdem verstanden, da sie ohnehin tendenziell überdeutlich sprechen.

Im Einzelunterricht bei Frau Güllicher gab es jede Menge Übungen zum Hörverständnis. Anfangs war ich mir zum Beispiel unsicher, ob etwas in Raten oder in Ratten bezahlt wurde, aber nach einer Weile gelang es mir. Das A selbst richtig auszusprechen war noch schwieriger. Um dies zu üben, musste ich zahlreiche unsinnige Zungenbrecher durchkauen, wie zum Beispiel: «Die Haare waren beharrlich, bis der Kamm kam», «Ich bin stadtstaatsalatsatt statt stadtsalatsatt» oder «Wir bauten einen Stall aus Stahl mit Saat zum Sattwerden». Nach einiger Zeit mit diesen Übungen begann ich sogar Hasen zu hassen ...

Beim Hören des Unterschieds zwischen dem langen und dem kurzen E, I, O und U hatte ich weniger Probleme, da wir so etwas auch im Englischen haben, auch wenn die Laute anders buchstabiert werden. Hier lag der Schwerpunkt sofort bei den Ausspracheübungen. Unvergessliche Beispiele waren: «Wir beteten in unseren Betten, dass der Herr uns vom feindlichen Heer auf der Reede rettet.» «Wir sahen den irren Iren wirr auf dem schiefen Schiff mit den riesigen Rissen.» «Der Ofen ist offen, die Rosse fressen die Rosen, die Schotten essen die Schoten und die Motte ist in der Mode.» Und: «Der Pirat versucht, der Sucht zu entkommen, aber der Ruhm des Rums ist so groß, dass er bei der Flucht flucht.» Der Pirat war nicht der Einzige, der am Fluchen war ...

Bei den deutschen Diphthongen AU, EI und EU musste ich lediglich daran denken, die Vokale angespannter und schneller als im Englischen auszusprechen. Die Umlaute hingegen waren eine ganz andere Sache (weswegen sie ein eigenes Kapitel in diesem Buch verdient haben). Bei den Konsonanten hatte ich die meisten Probleme mit dem CH und R (weshalb auch sie jeweils eigene Kapitel bekommen haben).

Bei dem L lauerte aber auch Gefahr. Im Gegensatz zum CH und R hatte ich beim L im Deutschen keinerlei Probleme erwartet. Aber Frau Güllicher machte mir deutlich, dass ich das L im Deutschen deutlich falsch aussprach, indem ich es tief im Hals bildete. Sie erklärte es mir wie folgt: «Im Deutschen liegt beim L die Zunge im Mund wie eine zierliche Prinzessin im Wasserbett, also nahezu eben. Im Englischen hingegen liegt die Zunge wie ein Sumoringer im Wasserbett, was dazu führt, dass der L-Laut in die Kehle runterrutscht.» Die Übungen hierzu mit dem L am Anfang des Wortes waren nicht so schlimm, aber diejenigen mit dem L nach einem Vokal waren besonders schmerzhaft – für Frau Güllicher.

Bis zu den Einzelunterrichtsstunden bei Frau Güllicher hatte ich versucht, die am schwierigsten auszusprechenden Wörter wie «mehrere», «griesgrämig» und «Nachrichten» zu vermeiden. An ihrer Stelle benutzte ich Synonyme, wie «einige», «quengelig» und «Neuigkeiten». Bei Frau Güllicher gab es für mich aber kein Entkommen. Ich musste mich sprachlich durch zahlreiche zackige Zungenbrecher, knackige Knoten und harte Hecken kämpfen.

Dank der hohen Opferbereitschaft und ebenso hohen Schmerzgrenze von Frau Güllicher wurden mein Hörverständnis und meine Aussprache im Deutschen im Laufe der Zeit deutlich besser. Es gab sogar schriftliche Nachweise für meine Verbesserung: Bei der deutschen Mittelstufenprüfung im Dezember 1995 wurden mir nur wenige Punkte bei der Aussprache abgezogen! Von einem Lehrer, der dafür aus Deutschland angeflogen gekommen war, bekam ich sogar ein Kompliment: «Ihre Aussprache ist nicht sonderlich schlecht – für einen Amerikaner.» Natürlich war das ähnlich schmeichelhaft wie: «Sie spielen Fußball nicht sonderlich schlecht – für einen Amerikaner.» Aber es war ein Kompliment!

Beim Ausspracheunterricht gab's noch einen Bonus, den ich überhaupt nicht erwartet hatte. Während ich lernte, wie Deutsche deutsch sprechen, lernte ich zugleich, wie Deutsche englisch sprechen, was in den USA ja Vorteile haben kann. In Chicago kannte ich zu der Zeit einen Schweizer namens Gabriel, der an der Northwestern University in Ingenieurwesen promovierte. Unter uns amerikanischen Männern war Gabriel sehr beliebt, und nicht nur, weil er ein geselliger Kerl war. Er sprach Englisch nämlich ziemlich genau wie Arnold Schwarzenegger. Verzweifelt, aber vergeblich versuchte Gabriel, seinen Akzent loszuwerden, was wir Männer nicht nachvollziehen konnten. Ich glaube, er schätzte auch unsere Angebote nicht, ihm Geld und andere geldwerte Vorteile zu verschaffen, sollte er unsere Anrufbeantworter mit Zitaten aus Arnold-Schwarzenegger-Filmen besprechen. Nach meinen Unterrichtsstunden bei Frau Güllicher konnte ich Gabriel (und dadurch auch Arnold) gut genug nachmachen, dass Gabriel mich weniger sympathisch fand, leider aber nicht gut genug, dass andere Männer meine Stimme für ihre Anrufbeantworteransagen haben wollten. Immerhin nutzte ich «meinen deutschen Akzent» im Englischen fortan unentgeltlich für private Zwecke.

Frau Güllicher selbst hatte ihrem Beruf gemäß nur einen sehr leichten deutschen Akzent. Dies trifft aber auch auf viele ihrer Landsmänner und -männinnen zu. In einer Zeitschrift im Goethe-Institut las ich einen Artikel über deutsche Schauspieler, die Rollen als Deutsche im englischsprachigen Filmen nicht bekommen hatten, da sie nicht «deutsch genug» klangen. Ganz im Gegensatz zu bekannten Deutschen wie Arnold Schwarzenegger, Boris Becker oder Thomas Mann klangen sie für amerikanische Ohren, als hätten sie einen wackeligen britischen Akzent, was für die Rollen als Deutsche ein K. o.-Kriterium war. Bei mir bestünde keine solche Gefahr. Wie mir Gabriel einmal sagte: «David, du bist wie einer dieser ‹angeblichen Amis› in den alten Filmen, die kaum Fehler machen, aber dafür mit einem richtig starken Akzent sprechen!» Auch hier wusste ich nicht, ob ich das als Kompliment werten sollte …

PS
Um die deutsche Aussprache zu üben, war Goethes Gedicht *Heidenröslein* für ein Knäblein wie mich wie prädestiniert, was Fräulein Güllicher natürlich sehr bewusst war. Nachdem ich das Gedicht

etliche Male vorsagen musste, fiel mir allerdings eine alternative Version ein:

Heidenarbeit

Sah 'ne Frau ein Knäblein steh'n,
Knäblein aus dem Sprachkurs.
Sprach so schlecht, es tat fast weh,
Lief sie schnell, es nah zu seh'n,
Sah's mit keinen Freuden.
Knäblein, Knäblein, Knäblein in Not,
Knäblein aus dem Sprachkurs.

Fräulein sprach: ich breche dich,
Knäblein aus dem Sprachkurs.
Knäblein sprach: ich grolle nicht,
Auch wenn du ewig quälst hier mich.
Denn ich will Deutsch können!
Knäblein, Knäblein, Knäblein wird rot,
Knäblein aus dem Sprachkurs.

Und das strenge Fräulein half,
Knäblein aus dem Sprachkurs.
Knäblein sprach und sprach und sprach,
Bis es endlich sagen konnte ... «Sprach!»
Fräulein musst' nur viel leiden.
Knäblein, Knäblein, Knäblein ist froh,
Knäblein aus dem Sprachkurs.

6   Die schönen Wörter, die keine sind

Im Deutschen gibt es schöne, nahezu unabdingbare «Wörter», die eigentlich keine sind. Höchstens sind sie Wörtchen. Trotzdem sind diese kleinen Wunder so aussagekräftig, dass mit ihnen eigentlich jede Sprache bereichert werden könnte. Deshalb sollten sie besonders geschätzt werden. Hier ist eine kleine Auswahl davon:

Na

Für eine Sprache, die extrem lange Wörter nicht nur ermöglicht, sondern auch schätzt, hat dieser Laut eine Menge Aussagekraft. Er mag aus nur zwei Buchstaben bestehen, aber kombiniert mit der richtigen Miene und dem passenden Tonfall können die beiden Buchstaben Bände sprechen. Auch wenn man «Guten Tag» als Erstes in der Schule lernt, ist «Na» die eigentlich wahre Begrüßung der deutschen Sprache. Ein Austausch von «Na?» «Na?» zwischen zwei Bekannten kann ein ganzes Gespräch ersetzen. Schließlich kann er auf dem Bedeutungsspektrum irgendwo zwischen «Toll, dich wieder zu sehen!» über «Wie geht's?» bis hin zu «Ach, du schon wieder» liegen. Ferner hat man mit einem kurzen «Na, du» schon gezeigt, dass man den Gesprächspartner gern hat. Stark? Na, aber hallo!

Boah

Dieser Laut ist eine Explosion aus der Kehle, die irgendwo zwischen dem Laut nach einem Schlag in den Bauch und dem Laut eines meditierenden tibetanischen Mönchs liegt.

Bei Kindern kommt er beispielsweise vor, wenn sie einen Kumpel mit einem Schneeball direkt auf den Kopf getroffen haben. Von Männern ist er zu hören, wenn sie sehen, wie ein Auto beim Formel-1-Rennen in Flammen aufgeht. Und bei Frauen kommt er vor, wenn sie sehen, dass am Wochenende die begehrte Schuhmarke um 75 Prozent reduziert wird.

Hä

Mit diesem Laut sowie dem passenden Zusammenknittern der Augenbrauen und Hochziehen der Nase sagt man dem Gesprächspartner laut und deutlich, dass das, was er eben geäußert hat, nicht den geringsten Sinn ergibt.

Tja

Bei dieser Silbe braucht man nicht einmal verschiedene Gesichtsausdrücke oder Intonationen, um eine Vielzahl von Reaktionen zum Ausdruck zu bringen. Diese umfassen beispielsweise: «Das hättest du kommen sehen sollen», «Ich wusste es!», «So was liegt einfach in der Natur der Sache», «Das hat er ja verdient» oder «Was hat sie sich bloß dabei gedacht?» Die Vielfältigkeit dieses Wortes wurde mir persönlich am deutlichsten bei meinem ersten Tanzkurs, wo ich den Cha-Cha-Cha dermaßen vermasselt habe, dass der Tanzlehrer ihn kopfschüttelnd in «Tja-tja-tja» umtaufte. Tja.

Pfui

Manchmal ist etwas so schlecht, dass man nur noch «pfui» dazu sagen kann, zum Beispiel im Theater, wenn einem plötzlich bewusst wird, dass man sehr viel Geld bezahlt hat, um sich eine miese Vorstellung anzuschauen. Oder wenn der Hund tut, was er nicht tun sollte. Hier muss allerdings beachtet werden, dass die Steigerung von «pfui» nicht «pfui, pfuier, am pfuisten» ist, sondern «pfui Spinne» und «pfui Teufel». Alternativ steht der Laut «Igitt!» zur Verfügung.

Nanu

Man nimmt die Silbe «na», packt das Wörtchen «nu» hinzu, und im Nu hat man etwas ganz Neues: einen Laut, der schnell und fröhlich zum Ausdruck bringt, dass man positiv überrascht ist.

Ach

Obwohl mein Vater nach seiner Kindheit jahrzehntelang kein Plattdeutsch mehr sprach, war dieser Laut oft auf seinen Lippen. Schließlich gibt es kein vergleichbares Wort im Englischen, das adäquat dasselbe ausdrückt. Allein kann «Ach» schon eine Menge aussagen, aber mit anderen kurzen Wörtern gekoppelt entfaltet sich seine Vielfältigkeit erst richtig, wie zum Beispiel bei «Ach je!», «Ach was!», «Ach nein!», «Ach wirklich?» und «Ach so!». Wenn ich englisch spreche, muss ich inzwischen aufpassen, dass mir nicht unweigerlich ein «Ach so!» herausrutscht, was leider jeglichen nicht Deutsch sprechenden Gesprächspartner irritieren kann.

He

Mit diesen zwei Buchstaben erlangt man sofort die Aufmerksamkeit der gezielten Person. Um diese Aufmerksamkeit zu halten, braucht man allerdings meistens etwas mehr Text.

Ne

Mit diesem Laut sagt man «Oder?», «Nicht wahr?», «Oder was?» oder «Du siehst das bestimmt genauso wie ich!». Außerdem kann man damit einfach eine Lücke im Redefluss stopfen. So wie viele Franzosen keinen einzigen Satz ohne den «öööö-Laut» über die Lippen bringen, können viele Norddeutsche ohne diesen Laut keinen einzigen Satz beenden. Wer als Nichtmuttersprachler in Hamburg lernt, das «ne» gekonnt einzusetzen, kann durch die Beherrschung von nur zwei Buchstaben fast als Einheimischer durchgehen. Und kombiniert mit dem Wort «Ja» entsteht etwas Feines. Wie eine sprachbewanderte schwedische Freundin von mir namens Camilla einmal meinte: «In keiner anderen Sprache gibt es so etwas derartig Einladendes und Freundliches!» Ja, ne?

▬

Dieses letzte «Wörtchen» erinnert mich immer wieder an das erste Mal, dass ich jemanden in Deutschland anrief. Dieser allererste Anruf bleibt für mich unvergesslich. Es war Spätherbst 1994, und ich plante meinen ersten Urlaub in Deutschland im April 1995. Ich hatte vor, bei entfernten Verwandten (Familie E.) zu wohnen. Es gab nur ein kleines Problem: meinen recht eingeschränkten Wortschatz. Und Familie E. sprach – natürlich – nur Deutsch.

Die Verbindung zu Familie E. hatte ich meinem Großonkel Viktor zu verdanken. Einige Monate zuvor, im Juli 1994, hatte er mich zum ersten Mal in seinem Leben angerufen. Er meinte, die Zeit sei gekommen, mich in Sachen Bergmann-Vorfahren aufzuklären, da er kurz zuvor von meinem Vater erfahren hatte, dass ich nicht nur an der Universität Geschichte als Nebenfach studiert hatte, sondern auch nach dem Studium freiwillig Deutsch in der Großstadt lernte. Er freute sich sehr über dieses kleine Zeichen, welches er dahingehend interpretierte, dass vielleicht doch noch Hoffung für meine Generation bestünde. Großonkel Viktor erklärte sich also bereit, mir einiges über unsere Familiengeschichte mitzuteilen. Darüber hinaus wollte er mir etwas über die Beziehungen zwischen unserer Heimatregion im Bundesstaat Ohio und der Gegend in Deutschland erzählen, aus der die meisten unserer Vorfahren kamen (zwischen Bremen und Osnabrück). Streng genommen konnte man einige der deutschen Verwandten kaum als solche bezeichnen, da die familiären Beziehungen lediglich über ungefähr sieben Ecken und sechs Enkel bestanden – aber so streng musste man in der Beziehung ja nicht sein, meinte mein Großonkel Viktor.

Zufällig fand im darauffolgenden Monat, im August 1994, ein großes Familientreffen in meinem Heimatdorf statt, das Viktor mit organisiert hatte und zu dem einige Verwandte sogar aus Deutschland anreisten, unter anderem auch die Familie E. Nachdem wir uns einige Stunden lang mit Händen und Füßen und auch etwas mit Hilfe meines gebrochenen Deutschs unterhalten hatten, luden sie mich tatsächlich ein, sie zu besuchen. Vielleicht taten sie dies aus reiner Höflichkeit, weil sie gehört hatten, dass man in den USA immer «Fastfremde» zu sich einlädt, ohne es wirklich auch so zu meinen. Wie dem auch sei: Ich habe die Einladung jedenfalls mit Freude angenommen.

Im Spätherbst saß ich dann also in meiner Wohnung in Chicago mit dem vorbereiteten Text vor mir und starrte voller Respekt auf das Telefon. In diesem Moment war ich wirklich nicht mehr sicher, ob ich eher ein Mann oder eine Maus war. Am Anfang war für mich das Telefonieren in der Fremdsprache das Allerschwierigste. Pädagogisch gesehen lernt ein David (wie viele andere

Menschen) zuerst das Leseverstehen, danach das Schreiben, das Hörverstehen und dann erst das Sprechen. Irgendwann viel später kann ein David sich dann schließlich ans teuflische Telefon wagen. Kurz gesagt: Wenn ich in einer nicht ganz beherrschten Fremdsprache anrufe, ist die Telefonleitung entweder «besetzt» – oder sie ist «besessen».

Es hat viel Überwindung gekostet, aber endlich nahm der Mann in mir den Hörer in die Hand und wählte die Nummer. Ich betete, dass «Papa E.» ans Telefon gehen mochte, da er meinen Anruf erwartete – und weil sein Deutsch am wenigsten schwer verständlich war. Das Freizeichen ertönte, und dann nahm jemand ab. Aber statt der Stimme des Vaters hörte ich eine Mädchenstimme. Dennoch geriet ich nicht in Panik. Ich fragte – nur leicht zitternd: «Ist dein Vater zu Hause?» Nach dieser großartigen Leistung war ich zuversichtlich, dass nichts mehr schiefgehen konnte. Sie musste lediglich eine der folgenden Antworten geben: «Ja», «Nein» oder «Ich weiß es nicht. Ich werde meine Mutter fragen.» Aber nein, es kam von ihr eine aus fünf Worten bestehende Antwort, von denen ich in diesem Zusammenhang nur ein einziges verstand: «Ich guck mal eben, ne.» Dann kam die Panik. Zum Glück ertönte kurz darauf die Stimme des freundlicherweise sehr langsam sprechenden Papa E.

Im April 1995 flog ich dann nach Deutschland und besuchte die entfernten Verwandten. Gastfreundlich wie Familie E. ist, wollte sie mir alle Sehenswürdigkeiten im näheren und weiteren Umkreis zeigen. So schlug mir Papa E. vor, an der traditionellen Fahrradtour am 1. Mai teilzunehmen, die gewöhnlich mehrere Stunden dauerte. Da ich zu der Zeit lange nicht mehr auf einem Fahrrad gesessen hatte, machte mich diese Nachricht ein wenig nervös, und ich dachte mir, dass der 1. Mai in Deutschland wohl deswegen als «Tag der Arbeit» bezeichnet wurde, weil man sich ordentlich anstrengen musste. Zu meiner Erleichterung wurde dann aber während der Fahrradtour weitaus weniger Zeit auf den Rädern als in den Biergärten verbracht.

Papa E. schlug mir auch vor, eine Wattwanderung zu machen. Damals verstand ich jedoch das Wort «Wattwanderung» nicht und hielt den Ausdruck für etwas Plattdeutsches, da sie untereinander oft plattdeutsch sprachen. Ich dachte mir, dass meine Frage bestimmt höflicher wäre, wenn ich sie auch auf Plattdeutsch formulierte: «Eine Wat-Wanderung? Wat is' dat?» (Ehrlich gesagt war für mich in jenem Urlaub jede Wanderung eine Wat-Wanderung ...)

Mutter E. fand es bei meinem Besuch besonders schade, dass sie in der Schule überhaupt kein Englisch gelernt hatte. Neugierig fragte sie mich, wie gewisse Dinge auf Englisch hießen, und stellte überrascht fest, wie leicht das sein konnte, da bei alten germanischen Wörtern wie «Hand», «Finger» oder «Arm» beide Sprachen fast identisch sind. Gleiches gilt für einige neuere Wörter wie «Telefon», «Roboter» oder «Restaurant». Als wir einmal gemeinsam im Wohnzimmer saßen, stellte sie allerdings auch mit einem Seufzer fest: «David, du hast es gut. Englisch ist heute überall. Schau einfach mal auf die Stereoanlage! Da ist alles auf Englisch.» Kurz und prägnant fasste sie ihre Meinung dazu zusammen: «Dat is' ganz schön fies, wat!» So lernte Frau E. ein bisschen Englisch, und ich verbesserte nicht nur meine Deutschkenntnisse, sondern lernte nebenbei auch noch, Plattdeutsch zu verstehen.

Nachdem ich meinen ersten Urlaub in Deutschland überlebt hatte und mir bewusst wurde, wie viel Deutsch ich in den zwei Wochen gelernt hatte, war ich eigentlich sehr froh darüber, dass Familie E. mit mir kein Englisch gesprochen hatte. Im Allgemeinen sind die Deutschen recht gastfreundlich, übertreiben es manchmal jedoch in ihrem Eifer. Sobald sie einen Akzent bei ihrem Gesprächspartner bemerken, fangen viele an, Englisch zu sprechen. Manchmal wechseln Deutsche bei mir ins Englische, schon bevor sie meinen Akzent gehört haben. Zum Beispiel wurde ich Jahre später nach einer Weihnachtsmesse in der Schweiz dem deutschen Pastor vorgestellt. Unverzüglich begann er mir auf Englisch zu erzählen, wie seine Zeit in den Staaten war. Nach einigen Minuten sagte ich zu meinem Kumpel Bodo etwas auf Deutsch. Der Priester sah aus, als ob er ein Wunder gesehen hätte, und rief aus: «Boah! Gott im Himmel! Sie sprechen Deutsch! Wieso haben Sie nichts gesagt?» Ich musste ihm beichten: Er hatte mich nicht gefragt, und man unterbricht einen Priester so ungern.

Auch wenn ich weiß, dass Deutsche es gut meinen, kann es etwas störend sein, wenn sie ungefragt und unerwarteterweise plötzlich auf Englisch umschalten. Um Missverständnisse zu vermeiden, ließ ich mir einmal eine Parabel einfallen: «Es war einmal ein kleiner Deutscher. Obwohl er sein Heimatland sehr mochte, fand er das Land Dänemark recht sympathisch. Aus Leidenschaft büffelte er jahrelang Dänisch und sparte sein Geld. Und dann eines Tages kündigte er seine Arbeitsstelle und zog nach Dänemark. Dort versuchte er, das Land kennenzulernen, und die zauberhafte dänische Sprache fließend zu beherrschen. Jedoch bei jedem Gespräch sagten ihm die wohlwollenden, aber unwissenden Dänen das Gleiche: ‹Kleiner Deutscher, es ist zwar niedlich, dass du versuchst, unsere Sprache zu sprechen, aber lass uns lieber Deutsch sprechen.› Weinend und frustriert gab der kleine Deutsche auf und zog zurück nach Hause.»

Als Erfinder dieser Parabel fand ich die Lehre recht deutlich. Ich dachte, damit könnte mein Dilemma gelöst werden, deutsch mit Deutschen reden zu dürfen, ohne sie zu beleidigen. Aber diese Quintessenz war für manche offenbar etwas schleierhaft, die dann wissen wollten, wieso jemand Dänisch lernen solle, wenn

Englisch so viel praktischer sei. Andere stellten sich die Frage, ob der kleine Deutsche aus Flensburg komme. Und manche wollten danach mit mir dänisch reden. Dies war alles nicht im Sinne des Erfinders.

Ach nein?

7   **We would like some Fahrvergnügen, please.**

Mein neuer, sonst außerordentlich geduldiger Deutschlehrer in Chicago war damals fast mit seinem Latein am Ende. Egal, was er versuchte, ich konnte mir die neue Vokabel «Vergnügen» gar nicht merken. Dann fiel ihm plötzlich die Lösung ein. Er sagte: «Weißt du, David, das Wort ist einfach wie ‹Fahrvergnügen›, nur ohne ‹Fahr›!» Sofort beherrschte ich das Wort.

Eine der unvergesslichsten Fernsehwerbungen der achtziger Jahre in den USA war diejenige von Volkswagen, die das Wort Fahrvergnügen dem amerikanischen Volk beibrachte. Das Wort Fahrvergnügen machte einen großen Eindruck auf uns. In der Werbung flitzte ein schnittiger, kleiner Volkswagen durch die amerikanische Landschaft. Dazu erklang im Hintergrund ein fröhliches deutsches Lied. Ein deutsches Lied im amerikanischen Fernsehen war schon etwas Exotisches, aber der Klang des Wortes Fahrvergnügen wirkte noch exotischer.

Fahrvergnügen ist nur eins von vielen tollen deutschen Wörtern, die ihren Weg über die Jahrhunderte in den englischen Sprachschatz gefunden haben. Andere sind «Realpolitik», «Hintergrund», «Poltergeist», «Schadenfreude», «Kindergarten», «Zeitgeist», «Angst», «Wanderlust», «kaputt» und «Meister». Wie der Redakteur einer großen amerikanischen Zeitung einmal schrieb: «Die Deutschen scheinen ein Wort für alles zu haben!»

Amerikanern ist die Herkunft dieser Wörter häufig gar nicht bewusst. Meine Mutter fragte mich beispielsweise, nachdem ich geniest hatte: «David, how do you say ‹*Gesundheit!*› in German?»

Eigentlich kann ich ihr nichts vorwerfen, da ich selbst erst nach mehreren Jahren in Deutschland kapiert habe, dass das in den USA allgegenwärtige Wort «Delicatessen» deutschen Ursprungs ist. Oder dass der «Spritzer», den man darin kaufen kann, auch aus der deutschen Sprache stammt.

Wie im Deutschen unterscheidet man auch im Englischen zwischen Songs, Chansons und Liedern. Ein Unterschied bei der Handhabe dieser besteht jedoch: Im Englischen sind nur englischsprachige Lieder «Songs», französischsprachige Lieder «Chansons» und deutschsprachige Lieder eben «Lieder». Im heutigen Deutsch scheint hingegen inzwischen fast alles ein Song zu sein, sogar Schlager, was mich sehr irritiert.

Besonders ironisch finde ich die Doppelgänger (übrigens auch ein gebräuchliches Wort im Englischen), die auftauchen, wenn das Englische und das Deutsche einfach Wörter der anderen Sprache austauschen. Zum Beispiel heißt das deutsche Spiel «Kicker» in den USA *Foosball* (wird ähnlich wie «Fußball» ausgesprochen). Was manche Deutsche inzwischen als «Bodybags» bezeichnen, sind in Großbritannien *Rucksacks*. Und während die Männer der amerikanischen Fußballmannschaft von Deutschen gerne als «US-Boys» bezeichnet werden, wird in den USA der «Über-Basketballspieler» Dirk Nowitzki als ein *German Wunderkind* bezeichnet.

Einmal bin ich von einem Mandanten zum Kölner Hauptbahnhof gefahren worden, und auf dem Weg im Auto spielte er die neue CD von *Tanz der Vampire*. (Das übrigens das erste Musical ist, das im Original auf Deutsch geschrieben wurde.) An einer besonders schönen Stelle sagte er mir: «Herr Bergmann, das ist das sogenannte ‹Main Theme› des Musicals.» Meine Antwort darauf hatte er offensichtlich nicht erwartet: «Das ist ja ironisch: Im Englischen würde man so etwas als ein *Leitmotiv* bezeichnen.»

Wegen der vielen deutschen Einwanderer haben zahlreiche Amerikaner deutsche Nachnamen, so wie ich. Viele Amerikaner wissen jedoch nicht, was diese Namen bedeuten. Dies wurde mir bewusst, als ich einmal mit Freunden ein Footballspiel mit dem amerikanischen Quarterback Frank Reich im Fernsehen ansah. Im amerikanischen Football gibt es ein Verteidigungsmanöver, das als *Blitzkrieg* bezeichnet wird (*Blitz* abgekürzt). Als der Kommentator sagte: «They leveled Frank Reich with a Blitzkrieg!» («Sie haben Frank Reich mit einem Blitzkrieg plattgemacht!»), musste ich laut lachen. Ich war der Einzige im Zimmer. Ein weiteres Beispiel war ein amerikanisches Baseballspiel der achtziger Jahre, in dem der Pitcher Jim Gott dem Second Baseman Tim Teufel gegenüberstand. Auch da war den meisten Amerikanern wohl kaum bewusst, dass sie gerade Zeugen der ältesten Rivalität der gesamten Sportswelt waren.

Ich fand die unfreiwillige Komik des Sportkommentators sozusagen *über-funny*. Wie im Deutschen kann man im Englischen das Wort «super» nicht steigern. Etwas ist entweder super oder eben nicht super; «superer» gibt es nicht. Um diese Schwachstelle zu schließen, hat man im Englischen das schnittige deutsche Wort «über» entliehen. Wenn zum Beispiel das Wort «Supermodel» nicht ausreicht, um die Schönheit einer Frau adäquat auszudrücken, wird sie eben als *Über*-Model bezeichnet – selbst wenn sie nicht deutschen Ursprungs ist wie Claudia Schiffer, Heidi Klum oder Nadja Auermann.

Sollte man mich eines Tages bei VW, BMW oder Mercedes Benz in der Marketingabteilung der amerikanischen Tochtergesellschaft einstellen, werde ich unbedingt vorschlagen, dass ihr neuer Werbeslogan irgendwo die Wörter «Überfahrvergnügen» und «Übermodel» enthält. Die Amerikaner würden dem Produkt nicht widerstehen können!

—

Mein neuer, geduldiger Über-Deutschlehrer hieß übrigens Alexander. Obwohl er für mich «der Große» war, kam er nicht aus Mazedonien, sondern aus der Nähe von Kassel und eroberte seit früher Jugend den amerikanischen Kontinent.

Auch wenn es sehr effektiv war, wurde für mich das Deutschlernen im Goethe-Institut auf Dauer doch ein «zu teueres Lehrgeld». Ich hatte daher den Entschluss gefasst, nach etwas weniger kostbarem Wissen zu suchen. An der Pinnwand des Goethe-Instituts entdeckte ich nach dem letzten Unterricht vor der langen Sommerpause 1995 ein Flugblatt von einem deutschen Studenten namens Alexander. Um seinen teuren Studienaufenthalt in Chicago teilweise finanzieren zu können, bot er Deutscheinzelunterricht an.

Am Abend wählte ich seine Telefonnummer. Eine amerikanische Stimme meldete sich. Irritiert fragte ich, ob ein Deutscher namens Alexander dort wohne. Auf Englisch antwortete er: «Ich bin der Deutsche namens Alexander.» Verblüfft erwiderte ich: «Im Ernst?», während ich bei mir dachte: Wieso hat der keinen Akzent? Will der mich veräppeln, oder was? Alexander antwortete: «Ich weiß, was du jetzt denkst. Wieso hat er keinen Akzent? Will er mich veräppeln, oder was?» In Gedanken nickte ich beeindruckt. Dann fing er an, deutsch mit mir zu sprechen. Damit wollte er nicht nur sein Deutschtum beweisen, sondern auch meine sprachliche Schlagfertigkeit testen. Zum ersten Mal fand ich es nicht so schlimm, dass ich im Deutschen einen Akzent hatte. Nichtsdestotrotz fände ich es bisweilen schon nett, diesen bei Bedarf ausschalten zu können. Zum Beispiel vor einer Sprachprüfung.

Wir trafen uns wöchentlich in Kneipen, wo wir verschiedene Themen besprachen. Ich war schwer beeindruckt, was Alexander alles in Chicago am Laufen hatte: eine Doktorarbeit, diverse freiberufliche Projekte, verschiedene Übersetzungen und viele Frauen. Ich fragte ihn, wo er die Zeit dafür hernähme. Er erklärte, man müsse, wenn man so viel parallel mache, die Dinge entweder «zack, zack» oder «ruck, zuck» machen.

Von Alexander lernte ich viel Wichtiges, was ich nie im Goethe-Institut gelernt hätte, so zum Beispiel, was deutsche Frauen wollen. Er sagte mir, dass deutsche Frauen generell unabhängiger und unsentimentaler als amerikanische seien. Sie wissen, was sie wollen, und vor allem wollen sie keine Weicheier oder Warmduscher. Alexander wurde klar, dass er mit mir noch einige Überstunden würde machen müssen, als ich sagte: «Aber ich mag sowohl ein weiches Ei als auch eine warme Dusche.» Zum Glück fragte er mich nicht, ob ich eine weiche Birne hätte …

Enttäuscht von seinem mitleidigen Blick, versuchte ich Alexander zu beweisen, dass auch ich cool war, und sagte lässig: «Die Kellnerin hier ist ganz schön knusprig.» Alexander schaute mich wissend an: «David, du solltest unbedingt deinen amerikanischen Akzent behalten. Wenn du solche Fehler machst, wird es dir dann von den deutschen Frauen wohl noch verziehen. Vielleicht sogar von den *knackigen*.» Dieses Fachwissen beeindruckte mich sehr. Und dann wurde es noch besser, denn er erklärte weiter: «David, die Mädels stehen auf einen richtigen Akzent. Am Anfang meines Aufenthaltes, als ich noch meinen deutschen Akzent hatte, kannte ich einige Studentinnen, die bei mir Deutschunterricht nahmen, nur weil sie meinen Akzent wortwörtlich geil fanden. Einige wollten mir sogar das Trinkgeld im Bett geben …» An so etwas hatte ich noch nie gedacht. Ja, Alexander war für mich tatsächlich der Größte.

Während einer Unterrichtsstunde erklärte mir Alexander auch das «Geheimnis der Glückspfennige». In Chicago musste man damals noch für einfache U-Bahn-Fahrten mit kleinen silbernen Fahrmünzen bezahlen, die 1,50 Dollar kosteten. Nachdem ich im Goethe-Institut von dem in Deutschland weitverbreiteten Konzept der Tageskarte erfahren hatte, war ich enttäuscht, dass es so etwas nicht in Chicago gab. Die Enttäuschung verschwand jedoch schnell, als Alexander mir zeigte, dass Chicagoer U-Bahn-Fahrmünzen die gleiche Größe hatten wie deutsche Pfennige.

Bei meinem nächsten Urlaub in Deutschland ging ich also in eine kleine Bankfiliale, um mir einige tausend Pfennige zu besorgen. Der Angestellte fragte mich neugierig, wofür ich so viele Münzen bräuchte. Mit meinem breiten Akzent sagte ich: «In Chicago sind diese Pfennige für bestimmte Geschäfte sehr wertvoll.» So blieb wohl der Mythos von Al Capone und Co. in jener Bankfiliale etwas länger erhalten. Leider klappte diese Mafiamethode nur noch bis 1998, als der höchst effizienten Chicagoer Bürokratie etwas auffiel. Der ganz subtile Hinweis: Millionen deutscher Pfennige in den Automaten.

Für seine wertvollen Tipps konnte ich Alexander gar nicht genug danken. Und dabei stellte ich fest, dass es im Deutschen jede Menge Möglichkeiten gibt, Dankbarkeit auszudrücken – was gar nicht zum Bild des undankbaren Völkchens passt, das allerdings auch meist von Deutschen selbst gezeichnet wird. Dank eines bekannten amerikanischen Liedes der frühen sechziger Jahre kennt nahezu jeder Englischmuttersprachler den Ausdruck «Danke schön», auch wenn nur die wenigsten von ihnen es richtig aussprechen können. Obwohl sie weltweit weniger Bekanntheit genießen, sind die Alternativen zahlreich: «Danke sehr», «Ich habe zu danken», «Danke vielmals», «besten Dank», «herzlichen Dank», «tausend Dank», «recht schönen Dank», «Ich danke dir», «Ich bin dir dankbar», «Ich möchte mich bei dir bedanken», «mit tiefer Dankbarkeit», «ein herzliches Dankeschön» und natürlich einfach «Danke». Als wenn das nicht schon genug wäre, bedient man sich im Deutschen sogar gerne der Ausdrücke anderer Sprachen, wie zum Beispiel *«Merci»*, *«Grazie»*, *«tusen tack»* und *«muchas gracias»*. (Ausnahmsweise bedient man sich hier einmal nicht des Englischen, da *«Thank you»* nicht so leicht über deutsche Lippen geht.)

Hin und wieder brachte ich Alexander so zum Lachen, dass ich mich fragte, wer eigentlich wen bezahlen sollte. Als er mich einmal fragte, ob ich *Die Sendung mit der Maus* kenne und ich im Brustton der Überzeugung antwortete: «Natürlich! Das ist der deutsche Ausdruck für *E-Mail*», kriegte er sich für den Rest des Nachmittags nicht mehr ein.

An einem Wochenende zeigte ich Alexander meine Firma in Chicago. Sie lag in einem der etwas kleineren Wolkenkratzer (im 42. Stockwerk). Von meinem Büro aus bot sich ein spektakulärer Ausblick. Wie in den meisten Wolkenkratzern konnte man die Fenster dort jedoch nicht öffnen, denn wenn man sich in solcher Höhe zu weit aus dem Fenster lehnt, dann ist man schnell weg vom Fenster.

Die Bibliothek war der beste Ort in diesem Hause, da sie große Fenster besaß. Als wir hinausschauten, schien zu unserer großen Verblüffung das Fenster zurückzuschauen, da auf der anderen Seite des Glases zwei ungepflegte Fensterputzer wackelig am Werkeln waren. Sie schienen uns gar nicht wahrgenommen zu haben und putzten weiter vor sich hin. In dem Augenblick, als ich die Entfernung der beiden zur Straße wahrnahm, wusste ich wieder, wieso ich Wirtschaftsprüfer geworden bin: Es ist weit weniger gefährlich, als Wolkenkratzerfensterputzer zu sein!

Obwohl er auf mich manchmal nahezu unsterblich wirkte, hatte Alexander Höhenangst, und er fragte mich, wie ich jeden Tag im 42. Stock arbeiten könne. Skeptisch schaute er mich an, als ich erklärte, dass man sich daran gewöhne. Dann fragte ich ihn, wie er in Kassel jahrzehntelang nur wenige Kilometer von der geballten Kraft der sowjetischen Armee entfernt leben konnte. Seine Antwort hätte ich aus ganz weiter Entfernung kommen sehen sollen: «Na ja, man gewöhnt sich daran.»

Als wir anschließend mit dem Fahrstuhl ratzfatz nach unten fuhren, kam bei Alexander besonders viel Fahrvergnügen auf.

8 Hellseherisch die Zukunftsform bilden

Bei der Vergangenheitsbildung im Deutschen mag der Chinese, wie bereits erwähnt, etwas arm dran sein, aber bei der Futurbildung läge er genau richtig. Im Gegensatz zu anderen europäischen Sprachen, die meistens die Futurform benutzen, wird im Deutschen in der Regel die einfache Zukunft mit Präsens plus Zeitangabe ausgedrückt. Sogar Deutsche, die akzentfrei englisch sprechen, entpuppen sich somit als Deutsche, wenn sie im Englischen sagen: «I give you the book later.» («Ich gebe dir das Buch später.»)

Im Deutschen gibt es das Wort «werden», mit dem man viele Dinge machen kann, unter anderem das Futur I bilden. Etwas unbeliebt machte ich mich anfangs in Deutschland, als ich noch dachte, dass man das Wort «werden» unbedingt braucht, um eine Zukunft mit Gewissheit auszudrücken, so wie man es im Englischen mit «will» oder «shall» macht. Auf die höfliche Frage eines Kommilitonen: «David, gibst du mir einen Stift?», antwortete ich deshalb: «Im Augenblick schreibe ich mit einem Stift, aber ich *werde* dir einen geben, wenn du einen haben möchtest.» Auf dieser Art macht man sich unter Kommilitonen nicht sonderlich beliebt ...

Netter wäre es wohl gewesen zu antworten: «Ich mache das schon!» Auf die Idee wäre ich jedoch nicht gekommen, da diese Formulierung wörtlich aus dem Englischen («I am already doing that») übersetzt vielmehr bedeutet «Ich mache das bereits» – mit dem Unterton: «Und wenn du mich nicht ablenken würdest, wäre ich vielleicht bereits fertig.» Die Verwendung des Wortes «schon» im Sinne von «gleich» wurde mir erst richtig klar, nachdem ich einen Freund fragte, ob er etwas Versprochenes für mich inzwischen erledigt hatte, und er antwortete: «Ich mache das schon.» Ich schaute ihn verdutzt an, denn ich sah, dass er nicht einmal damit angefangen hatte. Nach einem kurzen Streit und einer langen Diskussion über die Bedeutung von «Ich mache das schon» war ich sprachlich im Bilde, was das Wort «schon» anging.

Im Deutschen gibt es eine ganze Reihe von Möglichkeiten auszudrücken, dass man in naher Zukunft etwas machen wird, und alle sind von der Bedeutung her leicht unterschiedlich. Daher habe ich lange gebraucht, bis ich die Bedeutungsnuancen der unterschiedlichen Antworten auf die von mir oft gestellte Frage «Wann wollen wir essen gehen?» einordnen konnte. Sie umfassten ein ganzes Spektrum, von einwortigen wie «demnächst», «bald», «gleich», «sofort», «sogleich» oder «jetzt» bis hin zu kompletten Sätzen wie «Machen wir umgehend», «Unmittelbar nachdem ich meinen Kram erledigt habe» oder «Wir gehen gerade».

Anfangs fragte ich höflich, was genau die Unterschiede zwischen diesen Ausdrücken seien. Die Antworten, die ich darauf bekam, waren zwar teilweise hilfreich, brachten mich jedoch letztlich nicht wirklich weiter: «Sage ich dir gleich.» «Das hängt davon ab, ob die Person, die es sagt, ein Mann oder eine Frau ist.» «Nun, nun!» Oder: «Verschwinden Sie auf der Stelle!»

Ich dachte mir, dass man ja hellseherisch sein muss, um dies alles zu deuten. Daher folgte meiner Frage oft keine zweite Frage, sondern die schlichte Bitte: «Nenne mir eine Uhrzeit!»

▬

Im Sommer 1995 überlegte ich mir, wie meine Zukunft aussehen sollte. Fest stand: Ich konnte es nicht mehr in meiner kleinen Einzimmerwohnung in Chicago aushalten – es wurde mir einfach zu eng. Daraufhin stimmten wir Mitbewohner ab, wer von uns ausziehen müsse. Trotz einer harten Wahlkampagne meinerseits stimmten die meisten Kakerlaken gegen mich ... Und ich musste auf der Stelle von der Stelle verschwinden.

Kurz darauf zog ich dann in einen Vorort in eine Wohngemeinschaft mit zwei Frauen. Zufälligerweise hatten beide etwas mit der deutschen Sprache zu tun. Eine hieß Alexis und studierte Gesang. Es gibt nicht viele Berufe in den USA, bei denen man Fremdsprachen beherrschen sollte, aber Opernsängerin ist definitiv einer davon. Alexis konnte nur einige Brocken in verschiedenen Fremdsprachen, aber davon ließ sie sich in ihrer Divenhaftigkeit nicht entmutigen. Sie erklärte mir voller Stolz: «Ich spreche nicht viel Deutsch, habe dafür allerdings eine ausgesprochen gute Aussprache!» Ich war mir da nicht so sicher, da sie mich immer wieder «verkorrigierte». (Sie war beispielsweise fest der Überzeugung, dass der Name des Sängers Fischer-Dieskau wie «Fiehscher-Dieskau» auszusprechen wäre.) Am zweiten Tag in der neuen WG bekam ich einen kleinen Schock, als ich von der Arbeit nach Hause kam. Beim Betreten der Wohnung hörte ich Geschrei aus der Dusche. Ich dachte mir: Bestenfalls ist das warme Wasser alle, schlimmstenfalls werden wir gerade überfallen. Damals war ich mit Alexis' Tonleiterübungen noch nicht vertraut.

Die andere Mitbewohnerin hieß Sabine. Ihre Eltern kamen ursprünglich aus Europa; die Mutter war als kleines Kind am Ende des Zweiten Weltkrieges mit ihren Eltern aus Lettland geflohen; der Vater floh Jahre später kurz vor dem Bau der Mauer aus der DDR. Sabines Großeltern waren alle sehr stolz auf ihr Sprachtalent, jedoch auch sehr enttäuscht, dass Sabine Spanisch statt Lettisch oder Deutsch studiert hatte. Ich konnte mir kaum vorstellen, wie es ist, wenn man die eigenen Großeltern so gut wie nicht verstehen kann. (Meine Oma sprach zwar Plattdeutsch, aber Englisch sprach sie auch als Muttersprache.) Sabines Großmutter hingegen wohnte noch in einer Vorstadt von Leipzig und konnte kein Wort Englisch.

Ein weiterer Mitbewohner war die Katze von Alexis, die hellseherisch den Namen Pandora bekommen hatte. Obwohl sie eigentlich ziemlich klug war, hatte Pandora doch große Schwierigkeiten, zwischen meinem Rucksack und einem Katzenklo zu unterscheiden. Diese Eigenschaft warf meine Schriftstellerkarriere um Jahre zurück.

Unter uns wohnte Joon, ein Koreaner. Im Alter von acht Jahren war er mit seinen Eltern in die USA gezogen. Obwohl er seitdem nie wieder in Korea war, besaß er nur einen koreanischen Reisepass. Als ich ihn fragte, wieso er nie zurückgefahren sei, sagte er: «Meine Eltern sprachen nur Kinderkoreanisch mit mir, ich hatte hier nie koreanische Freunde, und ich sah nie koreanisches Fernsehen. Demzufolge spreche ich seit achtzehn Jahren wie ein Achtjähriger.» Joon hatte auch Angst, dass er bei seinem ersten Schritt auf koreanischem Boden sofort zur Armee eingezogen würde. Diese Sprachschwäche machte ihm diese Vorstellung noch unattraktiver, als sie es sowieso schon war. Er meinte, sollte ein Armeeoffizier ihn anschreien, könnte er nur antworten: «Ich nichts verstehen. Mir bitte nicht Wehwehchen geben.» Ich fragte Joon, ob er nicht Lust hätte, Koreanisch zu lernen. Er antwortete: «Ich lerne lieber Japanisch und Deutsch. Das sind die tollen Sprachen.» Wie gesagt, Joon war ein guter Kerl.

Damals habe ich meine Hausaufgaben meistens in der Bibliothek gemacht. Bibliotheken sind etwas Tolles, insbesondere in den USA, wo sie oft sogar sonntags und abends bis 21 Uhr geöffnet sind. An einem Sonntag im April 1996 fand ich die Bibliothek in meiner Vorstadt von Chicago sogar noch toller: Im Foyer erspähte ich deutlich zwei deutsche Brillen – zwei deutsche Frauenbrillen!

Im Laufe der Zeit stellte ich zu meiner Verblüffung fest, dass ich in Chicago Deutsche erkennen konnte, auch wenn die wenigsten von ihnen Lederhosen trugen. Und auch, obwohl die Deutschen ja in Sachen Mode vieles unreflektiert aus den USA übernehmen. Zum Glück gibt es noch ein paar Ausnahmen. Bei Brillen sieht es zum Beispiel komplett anders aus: Da sind die Deutschen den Amerikanern oft weit voraus. So konnte ich die zwei deutschen Mädels schon aus der Ferne identifizieren. Ich schlich näher heran, und mein erster Eindruck wurde bestätigt, als ich sie Deutsch sprechen hörte. Ich fasste mir ein Herz und sprach sie an: «Ich fliege nächste Woche in den Urlaub nach Deutschland.» Auf diverse Antworten war ich vorbereitet, aber nicht auf diese: «Schön für dich.»

Doch ich ließ nicht locker. Zum Glück waren die beiden vom Ablagesystem der amerikanischen Kleinstadtbibliothek noch mehr irritiert als von meinem Erscheinen. Ich erkannte meine Chance und machte ihnen ein Angebot: Ich würde ihnen die Bibliothek zeigen und sie in die Geheimnisse der Bibliotheksnutzung einweihen, wenn sie mir versprechen würden, nicht sofort wegzulaufen. Die beiden schauten sich an, dann mich, dann die Bibliothek. Diese Reihenfolge wurde mehrmals wiederholt, bis sie schließlich sagten: «Okay.» So lernte ich Anja und Nicole kennen. Beide waren als Au-pair-Mädchen gerade erst in den USA angekommen. Nach dem Bibliotheksrundgang merkte ich, dass sie froh waren, endlich einen jungen Amerikaner kennenzulernen, der nicht nur wusste, wo Deutschland liegt, sondern dem auch bekannt war, dass es dort Autos, Kühlschränke und Ähnliches gibt. Sie waren schwer beeindruckt, dass ich als Amerikaner sogar wusste, dass Bonn Deutschlands «Hauptdorf» ist.

Wir trafen eine Vereinbarung: Ich würde sie in meinem Auto in Chicago herumfahren, und im Gegenzug würden sie mit mir etwas Zeit verbringen. Was für ein Schnäppchen!

Am allerbesten fanden sie, dass ich etwas Deutsch sprach, denn so konnte ich ihnen beim Erlernen des amerikanischen Englisch behilflich sein. Das erste «Verhör» fand noch am gleichen Abend in einer Kneipe statt. Sie wollten wissen, wie man praktische Sachen ins Englische übersetzen könnte, die man in Wörterbüchern nicht findet, wie zum Beispiel «Streber», «Spießer», «Klugscheißer» und diverse Ausdrücke, die ich hier nicht wiederholen möchte. Bei vielen dieser Vokabeln scheiterte in der Tat mein Wörterbuch (von Deutschen gern *German Dictionary* genannt, aber für mich war es das *Buch der Weisheit*). Nach einigen Fehlversuchen beim Nachschlagen verlor Anja die Geduld und taufte meinen eckigen Freund in *Scheißding* um. Zum Glück konnten wir trotz alledem uns gegenseitig behilflich sein: Sie mussten einfach die umgangssprachlichen Ausdrücke umschreiben, und ich musste sehr viel Denkvermögen aufbringen, um mir die passenden Übersetzungen einfallen zu lassen. Es war ein bisschen wie das Spiel «Beruferaten».

Die Erfahrungen der letzten Monate bestärkten mich in meinem Vorsatz, die Sprache meiner Vorfahren richtig zu lernen, sodass ich schließlich entschied, für einige Zeit in Deutschland zu leben. Aber der Teufel steckt im Detail. Ich überlegte mir, wie ich das Ganze anstellen könnte. Würde ich in Deutschland einen Bürojob finden? Nein, denn wer würde einen «Arbeitserlaubnislosen» wie mich schon anstellen? Sollte ich Au-pair-Junge werden? Nein, um von Kindern Befehle zu bekommen, war ich inzwischen zu alt. Sollte ich ein brotloser Künstler werden? Nein, das deutsche Brot schmeckt angeblich zu gut. Sollte ich ein alter Student werden? Hmmm ... wieso eigentlich nicht?

Diese Idee habe ich dann mit vielen Leuten diskutiert. Einige waren beeindruckt, andere haben mich belächelt. Meine Eltern hingegen weinten fast, jedoch nicht in erster Linie, weil sie mich vermissen würden, sondern weil sie lieber nicht wissen wollten, wer den neuen Studiengebührenschuldenberg abzahlen sollte. Sie wussten damals noch nicht, dass in Deutschland das Studieren als ein Grundrecht betrachtet wird, sodass es so gut wie kostenlos ist, sogar für Ausländer.

Zum Glück unterstützte mich Anja bei den verschiedenen Bewerbungen, Übersetzungen und Überlegungen, welche Universität am besten zu mir passen würde. Als Erstes musste sie ein paar Stunden damit verbringen, mich davon zu überzeugen, dass deutsche Universitäten alle mehr oder weniger gleich gut sind. In den USA gibt es schließlich sehr große Qualitätsunterschiede zwischen den Universitäten. Bei einigen braucht man für eine Zulassung eigentlich nur zwei Dinge: ausreichend verfügbares Geld und einen Puls. Bei anderen hingegen werden Genies mit perfekten Highschool-Noten abgelehnt, wenn sie dazu nicht genügend andere Auszeichnungen vorweisen können, wie zum Beispiel olympische Medaillen, einen nachgewiesenen Beitrag zur wesentlichen Senkung der allgemeinen Kriminalitätsstatistiken oder ein selbst erarbeitetes Patent für ein Heilmittel gegen eine verbreitete Krankheit. Dementsprechend werden die Universitätsabschlüsse sehr unterschiedlich angesehen.

Nach all diesen Überlegungen bewarb ich mich bei mehreren deutschen Universitäten um einen Studienplatz – und einige haben mich sogar zugelassen! Aber nur die Universität Göttingen teilte mir dies rechtzeitig mit, sprich VOR dem Beginn des Semesters. Also fiel meine Entscheidung auf Göttingen. Nicht nur wegen des guten Rufs, der zentralen Lage und der schönen Fachwerkhäuser, sondern auch, weil sie meine Bewerbung unmittelbar bearbeitet hatten.

9   Ihrzenslust

Für Englischmuttersprachler ist die Konjugation von Verben im Deutschen etwas umständlich. Sogar bei den regelmäßigen Verben muss man viel Arbeit leisten, wie zum Beispiel: «Ich rede, du redest, er redet, wir reden, ihr redet, sie reden.» Bei den unregelmäßigen wird es noch komplizierter, wie zum Beispiel: «Ich spreche, du sprichst, er spricht, wir sprechen, ihr sprecht, sie sprechen.» Im Englischen kommt hierbei nur ein einziges, bescheidenes s ins Spiel: «I speak, you speak, he *speaks*, we speak, you speak, they speak.» Das Englische hat zwar auch zahlreiche unregelmäßige Verben, aber nur ein einziges davon ist im Präsens unbändig, und zwar «be»: «I *am*, you *are*, he *is*, we are, you are, they are.»

Im Nachhinein bin ich für die Unregelmäßigkeit des englischen «be» sehr dankbar, denn so ist mir das Lernen der Konjugation der deutschen Verben viel einfacher gefallen. Bei unregelmäßigen deutschen Verben stelle ich mir einfach die Frage, was an der Stelle das englische «be» täte. Ausnahmsweise haben wir Englischmuttersprachler bei diesem Aspekt des Deutschlernens dem Schwedischmuttersprachler gegenüber einen klaren Vorteil. Schweden lernen in der Regel Deutsch viel leichter als Englischmuttersprachler, da das Schwedische dem Deutschen viel näher steht als das Englische. Alle drei Sprachen mögen zwar germanischen Ursprungs sein, aber während Englisch jahrhundertelang vom Französischen stark beeinflusst wurde, wurde Schwedisch vielmehr vom Plattdeutschen geprägt. Die Konjugation der deutschen Verben im Präsens stellt jedoch für den Schwedischmuttersprachler eine größere Hürde dar, da die Verben im Schwedischen nicht gebeugt werden. Ach, wie viel einfacher das Deutschlernen wäre, wenn man es wie folgt handhaben könnte: «Ich sein, du sein, er sein, wir sein, ihr sein, sie sein.» Unmöglich, sagen Sie? Ab nach Schweden mit Ihnen!

Am einfachsten im Deutschen ist das Siezen. Hier verhalten sich die Verben artig, sogar fast «schwedenartig». Am schwierigsten hingegen ist das «Ihrzen». An sich ist das Ihrzen grammatikalisch nicht komplizierter als das Duzen, man hört es nur relativ selten. Der Nichtdeutschmuttersprachler ist es einfach nicht gewohnt, dass zum Beispiel in einigen Verben die Umlaute plötzlich verschwinden, wie bei «Ihr *lauft* zu langsam», «*Fahrt* ihr mit dem Taxi?» oder «Ihr *gefallt* mir nicht». Daher probierte ich anfangs allerlei Methoden aus, um das Ihrzen zu vermeiden – was sich leider nicht immer als praktikabel herausstellte. Einmal versuchte ich sogar die «du-alle-Form» (wie im Englischen «you all»), aber dies verstanden nur Deutsch sprechende Amerikaner aus den Südstaaten – und nicht die Deutschen. Meine Lösung damals war, alle Gruppen einfach zu siezen, was unter anderem dazu führte, dass ich in einem Kleinstadtgymnasium in Hessen landete. Ich glaube, ich muss dies erklären ...

—

Eines Tages im März 1996 war ich in Chicago auf dem Weg zu einem Musikladen. Plötzlich befand ich mich an einer Straßenampel mitten in einer Gruppe deutscher Mädels auf einem Schulausflug. Wie ich es Monate später in der Bibliothek auch mit Anja und Nicole tat, sprach ich eine von ihnen ganz freundlich mit meinem dicken Akzent an. Auf einmal wurde die ganze Gruppe still. (Und nicht nur, weil ich «kam, sah und siezte».) Aber nachdem sie den Schock überwunden hatten, wurden sie neugierig, und wir kamen ins Plaudern. Dass ich die Gruppe dabei siezte, rief einiges Gekicher hervor. Die Mädels boten mir zwar mehrmals das Du an, aber ich erklärte freundlich, dass ich leider nicht in der Lage war, sie zu «ihrzen». Zum Glück hielt meine Schwäche die jungen Damen nicht davon ab, mir beim Verabschieden ihre Telefonnummern zu geben. So viele Frauennummern hatte ich noch nie zuvor und habe ich nie wieder auf einmal bekommen! Sie luden mich ein, sie in Deutschland zu besuchen, sollte ich eines Tages mal zufällig in der Nähe von Fulda sein.

«Eines Tages» kam dann schon zwei Monate später, und ich war in meinem zweiten Deutschlandurlaub tatsächlich in der Nähe von Fulda. Da ich mich kurz zuvor entschlossen hatte, ein Jahr in Deutschland zu studieren, wollte ich mir einige der Universitäten anschauen, bevor ich meine Bewerbungen losschickte. Von Göttingen aus unternahm ich also einen Abstecher nach Fulda. Dort wollten die Mädchen mich unbedingt in ihre Schule mitnehmen, um ihren Mitschülern «einen echten Amerikaner» zu zeigen. Ein Lehrer war besonders an mir interessiert und stellte mir während des Unterrichtes allerlei Fragen. Eine davon war: «Herr Bergmann, haben Sie Familie?» Meine Antwort «Ja, ich habe eine Mutter, einen Vater und drei Brüder» entsprach zwar der Wahrheit, war aber wohl nicht das, was er hören wollte, denn schon wieder hörte ich das mir inzwischen sehr bekannte Mädchengekicher.

Nach der ersten Stunde schlugen «meine» Mädchen vor: «David, du solltest ‹Adelheid v.› kennenlernen.» Adelheid hatte nämlich als Schülerin ein Jahr in England verbracht und konnte deshalb am besten Englisch von allen. Als wir uns in der Mittagspause trafen, sprachen wir zunächst einmal Deutsch. Nach einigen Minuten kamen wir auf das Thema Geburtstage und Jahrgänge. Dabei sagte sie mir, dass sie Jungfrau sei, und fragte mich, was ich bin. Ich dachte mir: Der Alexander hatte ja recht, die deutschen Frauen sind schon sehr direkt. Ich antwortete: «Ich habe keine Freundin, aber ob ich eine Jungfrau bin, sage ich dir nicht. Das ist etwas sehr Persönliches.» Sie musste eine Zeitlang über meine merkwürdige Antwort nachdenken, aber dann schien sie mit meiner Aussage zufrieden zu sein. Sie setzte das Gespräch allerdings auf Englisch fort, um weitere Missverständnisse zu vermeiden.

Mein Aufenthalt in Fulda dauerte nur einige Tage, aber nach meinem Urlaub blieb ich mit Adelheid in Briefkontakt. Sie unterstützte mich auch bei meiner Entscheidung für eine Universität. Dies wusste ich sehr zu schätzen, auch wenn ich allmählich den Eindruck bekam, dass sie dabei nicht ganz selbstlos handelte. Sie bot mir an, mich am Flughafen abzuholen, falls ich an der Universität Göttingen studieren sollte, und meinte, ich könne sogar bei ihrer Familie übernachten, bis ich eine eigene Bleibe fände.

In Frankfurt wurde ich also im August 1996 vom Flughafen von einer echten «von» abgeholt. Es war ein königliches Gefühl. Ich konnte es kaum glauben, aber da am Terminal stand tatsächlich eine Freifrau, die mich anlächelte. Adelheids Vater war ein Freiherr, demzufolge war sie eine Freifrau. Dies musste sie mir zwar einige Male erklären, bis ich es ihr glaubte und bis ich es vor allem verstand, aber dann war ich schwer beeindruckt. Im Englischen haben wir nicht nur kein «der, die, das», sondern auch k in «von, van, de, di, da» oder Ähnliches. Offiziell haben wir in den USA überhaupt keine Adligen. In meiner Heimatgegend gibt es zwar einige Herzogs, Koenigs und Kaisers, aber deren Nachnamen wirken nur auf den ersten Blick blaublütig.

Im Geschichtsunterricht in den USA hatte ich schon von zahllosen wichtigen Deutschen gehört, die ein «von» im Namen trugen: glorreiche Männer wie Johann Wolfgang von Goethe, Helmuth von Moltke, Friedrich von Schiller und Otto von Bismarck. Und als ich mich mit dem Ersten Weltkrieg auseinandersetzte, lernte ich, dass General Ludendorff, da er kein «von» in seinem Namen hatte, einen Paul von Hindenburg mit an der Spitze der Heeresleitung haben musste. Adelheid erklärte mir allerdings, dass die Zeiten vorbei wären, wo die «vons» das Leben in Deutschland bestimmten. Sie behauptete sogar, dass der einzige Vorteil, eine echte «von» zu sein, darin bestünde, dass man das «von» als «v.» abkürzen dürfe. Verglichen mit dieser Freifrau von Bedeutung kam ich mir trotzdem wie ein Bauernsohn vor – Spitzname «David Unschuld vom Lande, frei von jeder Ahnung».

Die Familie hatte vier Kinder, und Adelheid war mit 19 die Älteste. Ihre Mutter hatte eine Zeitlang in England studiert und war ausgesprochen anglophil. Für sie war es wohl eine nette Abwechslung, einen jungen Amerikaner zu Besuch zu haben. Sie fand mich charmant, auch wenn ich die Familie mit einigen komischen Eigenschaften zum Lachen brachte. So habe ich denn auch einige elementare Grundregeln gelernt:

► Im Haus dreht man die Heizung nicht auf volle Pulle, sondern zieht sich einen Pulli an.

► Draußen werden Schuhe getragen, drinnen Birkenstocks.

► Brennende Lichter sind in leeren Räumen brenzlige Angelegenheiten.

► Man sollte sich mit den *Backstreet Boys* auskennen, wenn man bei Mädels ankommen will.

Die jüngere Schwester von Adelheid war am allermeisten begeistert, einen Amerikaner im Hause zu haben. Zumindest bis sie feststellte, dass ich weitaus weniger über die Backstreet Boys wusste als sie. Das wollte sie mir zunächst gar nicht glauben, und sie meinte, ich solle damit aufhören, mit ihrem «Herzen Spielchen zu spielen», wie die Boys damals zu singen pflegten. Es war Herbst 1996, und die Backstreet Boys waren in Deutschland auf dem Höhepunkt ihrer Karriere. Kein Wunder, dachte ich, als ich feststellte, dass ihre Hauptkonkurrenten eine langhaarige Großfamilie war, die auf einem Fluss wohnte. In den USA waren die «Seitenstraßenjungs» noch so gut wie unbekannt. Obwohl sie aus Florida stammten, wurden sie erst einige Jahre später auch in den USA erfolgreich. Bis dahin war ich dann bestens vorbereitet, die amerikanischen Mädels mit meinen «Fachkenntnissen» zu beeindrucken.

Die Mutter von Adelheid fand es stets sehr putzig, wenn ich kleine Fehler machte. Zum Beispiel verstand ich den Hinweis an einer Ampel falsch und umarmte Adelheid, bis wir über die Straße gehen durften. Schließlich war auf dem Schild zu lesen: «Drücken und auf Grün warten.» Oder als ich mal erzählte, wie schön es war, als Adelheid mich zum ersten Mal «umgearmt» hatte. Adelheid fand leider einige von meinen Fehlern weniger witzig. Als ich wissen wollte, ob ihr noch kalt sei, übersetzte ich meine Frage fälschlicherweise direkt aus dem Englischen: «Bist du noch sehr kalt?» Anstelle einer Antwort zeigte sie mir dann die kalte Schulter …

Schnell wurde mir auch klar, dass für Adelheid das Betreten eines McDonald's strengstens untersagt war. Als ich nämlich ebendies einmal bei einem Ausflug mit ihr und einem Freund von ihr namens Christoph vorschlug, antwortete sie resolut: «Nein! Ich gehe nie in ein McDoof! Ich schenke den Amerikanerkapitalisten nie mein Geld!» Dann fiel ihr ein, zu wem sie das sagte, und etwas beschämt fügte sie hinzu: «… bis auf David.»

Einige Stunden später war Adelheid auf einmal nicht mehr so vorlaut. Ihr war ein wenig flau, und sie brauchte unbedingt etwas Süßes. Doch die einzige Hoffung auf einen Becher O-Saft war bei dem «Restaurant mit der goldenen Möwe», wie Christoph es nannte, oder «McDreck», wie Adelheid lieber sagte. Schluchzend sah sie es schließlich ein, und so wie Cäsar vor dem Rubikon stand, fand Adelheid sich zitternd vor dem Eingang des Burgerschuppens wieder. Christoph und ich mussten draußen vor der Tür warten; sie wollte nicht, dass jemand sie bei dieser süßen Niederlage sah.

Entgegen ihren eigenen Erwartungen kam Adelheid nach einiger Zeit heil wieder aus dem McDonald's heraus, und aus Spaß tat ich so, als ob ich etwas Ketchup in ihrem Mundwinkel sah. An den Kraftausdrücken, die wir daraufhin von ihr zu hören bekamen, konnten wir erkennen, dass die mit O-Saft aufgetankte Adelheid wieder im Vollbesitz ihrer Kräfte war.

Von Adelheid habe ich zwei weitere wichtige sprachliche Dinge über Frauen gelernt. Erstens: Wenn eine Frau einen Mann fragt, wie sie aussieht, sollte er niemals darauf antworten: «Ganz gut.» Zweitens: Wenn eine Frau einen Mann fragt, ob sie etwas zu dick sei, sollte er nie darauf antworten: «Es geht.» (Damit konnte auch ein Bergmann schnell zum Buhmann werden ...)

Verglichen mit ihrer Mutter konnte Adelheids Vater wesentlich weniger mit mir anfangen. Dies lag zum Teil daran, dass er wenig Englisch konnte und nie im englischsprachigen Ausland gewesen war. Er konnte mich demzufolge viel schlechter verstehen. Als er mir sagte, mein Deutsch sei einzigartig, hat mich das zunächst gefreut, bis die jüngere Schwester mir den Unterschied zwischen «einzigartig» und «einzigartig gut» erklärte. Immerhin hatte ich offenbar die Stufen «abartig» und «eigenartig» schon hinter mir ...

Das Einzige, was bei mir glänzte, war der goldene Ring an meiner rechten Hand. Als Adelheids Vater den erblickte, keimte in seinem Herzen die Hoffnung, dass sich seine Tochter in einen Mann höchsten Ranges verliebt hätte. Er fragte mich, ob ich den Ring von meinem Vater geerbt hätte und ob dieser große Ländereien besäße. Ich antwortete wahrheitsgemäß, dass mein Vater schon ein paar Äcker habe, wo er ackert, aber nachdem er mein Studium bezahlt hätte, sei er nun etwas arm dran. (Den Ring kaufte ich mir selbst am Ende meines Studiums, sozusagen als unbescheidenes Andenken.) Im Gesicht des Freiherrn las ich die Enttäuschung. Ich wollte ihn trösten und erzählte, dass meine Universität in den USA eine von den besten gewesen sei. Als er mich nach deren

Namen fragte, entgegnete ich: «Notre Dame du Lac» (die Universität wurde im 19. Jahrhundert von einem Franzosen gegründet). Voller Elan fragte Adelheids Vater: «Ah bon! Vous parlez français?» Mein Blick gab ihm unmissverständlich zu verstehen, dass ich auf diesem Gebiet weder *Savoir-faire* noch *Know-how* besaß, was für ihn nur eines bedeutete: schon wieder eine Enttäuschung!

Später zeigte Adelheids Vater mir voller Begeisterung seinen Meisterschein als Zimmermann. Als ich ihn fragte, wozu man so etwas brauchte, lag es sicherlich nicht in meiner Absicht, seinen Stolz zu verletzen. Damals wusste ich einfach nicht, dass die Zimmerei in Deutschland ganz anders als in den USA läuft, wo jeder nahezu alles mit seinen eigenen Immobilien machen darf, solange nur niemand dabei körperlich verletzt wird. Uns beiden wurde langsam klar, dass ich rein gar nichts in petto hatte. Und mir wurde außerdem klar, dass man, wenn man nichts in petto hat, in der Patsche sitzt. Zum Glück musste ich den Freiherrn jedoch siezen. An einem Wochenende lud mich Adelheid ein, mit ihr ins Theater zu gehen. In dem alten Theaterstück von Schiller fiel mir zu meinem Entsetzen auf, dass man als die Höflichkeitsform der Anrede nicht das Siezen, sondern das Ihrzen benutzte. Wenn ich den Vater von Adelheid hätte ihrzen müssen, hätte ich noch tiefer in der Tinte gesessen ...

Schließlich tröstete sich Adelheids Vater mit der Tatsache, dass ich in Göttingen ja doch eine Stunde entfernt von seiner Tochter wohnte. So konnte ich wenigstens nicht permanent einen schlechten Einfluss auf sie haben. Adelheid fand dies weniger gut. Ich versuchte, sie mit der Tatsache zu trösten, dass wir ja täglich miteinander telefonieren könnten. Aber sie sah mich entsetzt an und sagte nur: «David, von wegen!» Solch verschwenderisches Verhalten konnte sich offenbar nicht einmal eine Freifrau leisten.

10 Unredliche Redewendungen

Als neugieriges Kind wollte ich – aus welchen Gründen auch immer – einmal wissen, wie viele Inseln es im Pazifischen Ozean genau gibt. Ich stellte jedoch enttäuscht fest, dass ich auch nach langem Suchen nirgendwo eine konkrete Zahl finden konnte. Keines der Nachschlagewerke ließ sich auf eine genaue Zahl festnageln. Die meisten gaben nur Schätzungen zwischen so und so vielen tausend an. Ich gab aber erst auf, als ich in einem davon endlich eine Erklärung fand: Auch wenn man dank neuer Technologien den breiten Ozean inzwischen sehr gut kennt, kann eine konkrete Anzahl der pazifischen Inseln nicht ermittelt werden, da der Ozean nie statisch bleibt. Während einige Inseln über dem Wasserspiegel auftauchen, gehen wiederum andere unter. Außerdem ist es ohnehin strittig, wo genau die Grenze liegt zwischen einer echten Insel und einem einfachen Stein mit ein bisschen Erde darauf. Ich steckte also auch dieses Faktum in meine gedankliche Schublade der «Dinge, die ich nie wissen werde».

Ähnlich wie mit den pazifischen Inseln verhält es sich bei der Anzahl der Redewendungen in einer Sprache, vielleicht sogar noch extremer. So sind recht wenige davon feste Größen, die jeder kennt und die für die Ewigkeit prädestiniert erscheinen. Andere sind nur in einem kleinen Kreis bekannt oder tauchen manchmal fast so schnell unter, wie sie aufgetaucht waren. Oft habe ich gelesen, dass Deutsche sich gern über die vielen Redewendungen im Englischen beschweren, offenbar ohne sich dessen bewusst zu sein, dass es im Deutschen mindestens ebenso viele gibt. Es wird sogar in Fachkreisen vermutet, dass von allen Sprachen der Erde die deutsche wohl die meisten Redewendungen hat.

Im Gegensatz zu Muttersprachlern merken Deutschlernende ziemlich schnell, dass es im Deutschen von Redewendungen nur so wimmelt. Deren Bedeutungen erschließt sich dem Unwissenden jedoch nicht immer auf den ersten Blick. Also muss man sehr viel Fleißarbeit leisten, denn wie heißt es schließlich so schön im Deutschen? «Knapp vorbei ist auch daneben!» (Und nicht wie ich am Anfang fälschlicherweise sagte: «Knapp daneben und dann ist vorbei.») Nachdem ich bereits einige Jahre in Deutschland gelebt hatte, schenkte mir ein Freund namens Tom zum Geburtstag ein dickes Buch über deutsche Redewendungen. Obwohl ich dadurch etwas schlauer wurde, verlor die deutsche Sprache für mich so leider auch etwas von ihrer Bildhaftigkeit. Zum Beispiel bei diesen Redewendungen:

Ich freue mich wie ein Schneekönig.
Bei dieser Redewendung stellte ich mir einen Mann vor, der in etwa wie ein Bruder des Weihnachtsmanns aussieht. Er trägt eine Krone auf dem Kopf, hat eine Schar Schneemänner in seinem Dienst und ist einfach mit seinem Dasein als der Herr der Schneelage glücklich. In dem Buch hieß es jedoch, dass das Wort «Schneekönig» einfach eine andere Bezeichnung für den Vogel Zaunkönig ist, der im Winter in Deutschland bleibt und ein fröhliches Lied singt.

Das macht den Kohl nicht fett.
Wie wahrscheinlich viele andere Leute dachte ich bei dieser Redewendung zwangsläufig an Helmut Kohl. Auch wenn der ehemalige Bundeskanzler zweifelsohne kein Kostverächter war, sagte mir diese Redewendung, dass nicht ein-

mal er jede Mahlzeit, egal wie sie schmeckte, mitnahm. In dem Buch hieß es jedoch, dass die Redensart sich darauf bezieht, dass ein fettes Stück Fleisch ein Kohlgericht entscheidend verbessern kann.

Die Frau hat Haare auf den Zähnen.

Bei dieser Redewendung dachte ich, dass die Frau Haare auf den Zähnen hat, weil es kurz zuvor mehrere Haare in ihrer Suppe gab. Dies führte natürlich dazu, dass sie verstimmt ist. (Ich dachte allerdings auch, dass dies irgendwie mit den Redewendungen «Honig um den Bart schmieren» und «an den Haaren herbeigezogen» zusammenhängen müsste.) In dem Buch hieß es jedoch, dass die Redewendung daher stammt, dass starke Behaarung ein Zeichen männlicher Stärke und Couragiertheit sei. Sollte eine Frau sogar Haare auf den Zähnen haben, gilt sie als schroff und aggressiv.

Das ist ein heißes Pflaster.

Bei dieser Redewendung stellte ich mir einen Mann mit einer frischen Wunde vor, die von einem Arzt mit einem Pflaster behandeln werden muss. Das Allerletzte, was der Mann gerne daraufbekäme, wäre ein heißes Pflaster. In dem Buch hieß es jedoch, dass ein heißes Pflaster ein gefährlicher Stadtteil ist, in dem man leicht verwundet werden kann.

Jemanden aus der Bahn werfen.

Bei dieser Redewendung stellte ich mir vor, wie ein Mann, der mit den Armen wild um sich schlägt, aus einem rasenden Zug geschmissen wird, da er entweder keine Fahrkarte besitzt oder den Schaffner übermäßig geärgert hat. In dem

Buch hieß es jedoch, dass diese Wendung lediglich besagt, dass man von seinem gewohnten Lebensgang ab- oder einfach aus dem Gleichgewicht gebracht wird.

Es ist noch kein Meister vom Himmel gefallen.

Bei dieser Redewendung dachte ich, dass nur Lehrlinge vom Himmel fallen, da die Meister ja wissen, wie man da oben im Paradies bleibt. In dem Buch hieß es jedoch, dass diese sprichwörtliche Redensart besagt, dass man erst lernen und üben muss, bevor man etwas gut kann.

Die Hosen anhaben.

Bei dieser Redewendung stellte ich mir zwei streitende Personen vor, von denen die eine eine Hose trägt, während die andere zuvor wohl die Hosen runterlassen musste. Da die hosenlose Person gedanklich vielmehr mit ihrem halbnackten Dasein beschäftigt ist, hat die Hosen tragende Person eindeutig die Oberhand, so wie der gepanzerte Ritter in einem Zweikampf mit einem leichtbewaffneten armen Bauern. In dem Buch hieß es jedoch, dass diese Wendung aus einer Zeit stamme, als Hosen ein den Männern vorbehaltenes Kleidungsstück waren und der Mann im Hause allein zu bestimmen hatte.

Die Katze im Sack kaufen.

Hier war ich mir sicher, dass man natürlich vorher die Katze sehen möchte, um sich zu vergewissern, dass es eine 1-a-Katze ist. In dem Buch hieß es jedoch, dass man überhaupt keine Katze kaufen wollte. Der Bezug auf die Katze rührt daher, dass früher auf Märkten oft eine wertlose Katze anstelle eines Kaninchens, Ferkels oder Hasen in den Sack getan wurde, um den unachtsamen Käufer zu täuschen.

(Schließlich gab es damals in Deutschland noch keine chinesischen Restaurants ...)

Das geht auf keine Kuhhaut.

Die Herkunft dieser Redewendung war für mich besonders schleierhaft. Einige mögliche Erklärungen kamen mir in den Sinn: Vielleicht lässt sich Kuhhaut nur schlecht beschriften? Vielleicht handelt es sich um eine heilige Kuh? Vielleicht hat die Kuh einfach etwas dagegen? In dem Buch hieß es jedoch, dass diese Wendung auf die mittelalterliche Vorstellung zurückgeht, dass der Teufel einem Sterbenden dessen Sündenregister auf einem aus Kuhhaut gefertigten Pergament vorhält. Ah ja.

Meistens ist es nicht sonderlich schlimm, wenn man mit einer Redewendung etwas danebenliegt, aber Ausnahmen bestätigen die Regel, wie ich auf meiner Wohnungssuche in Göttingen feststellen musste ...

——

Meiner Meinung nach war ich voll ausgerüstet: Ich hatte eine aufgeladene Telefonkarte, einen Stadtplan und mir meine Worte genau zurechtgelegt. Ich wählte die Telefonnummer. Eine Frauenstimme meldete sich mit ihrem Nachnamen. So selbstsicher, wie ich nur konnte, sagte ich: «Guten Tag! Ich habe gelesen, Sie vermieten ein vermöbeltes Zimmer.» Und schon war das Gespräch zu Ende. Genug Ahnung hatte ich also offenbar (noch) nicht.

Es ist selten leicht, ein neues Zuhause in einer neuen Stadt zu finden. Es ist um einiges komplizierter, wenn sich diese Stadt auch noch in einem fremden Land befindet – und zwar in einem, dessen Sprache man nicht beherrscht. So stand ich nun etwas aufgeschmissen in einer Telefonzelle in Göttingen, wo ich studieren wollte. Dabei war es noch gar nicht so lange her, dass ich nicht einmal wusste, dass es eine Stadt namens Göttingen überhaupt gibt – ein Kenntnisstand, auf dem sich viele Amerikaner ihr ganzes Leben lang befinden.

Einige Wochen zuvor, im Juli 1996, hatte ich meinen Arbeitsplatz in Chicago gekündigt. Meine Kollegen fragten mich neugierig, wo meine neue Stelle denn sein werde – schließlich würde keiner seine Arbeitsstelle hinschmeißen, ohne einen sicheren Platz bei einer besseren Firma in der Tasche zu haben. Ich erzählte ihnen: «Ich habe einen Studienplatz in Deutschland in einer Stadt namens Göttingen.» Um mich herum fragende Blicke. «Das liegt in der Nähe von Hannover.» Noch mehr fragende, nun auch skeptische Blicke. Ich ergänzte weiter: «Zwischen Hamburg und München.» Dann sagten alle gemeinsam (sogar auf Deutsch – mehr oder minder): «Ahhhh, Munich! Guten Tag!» Jawohl, dass es eine Stadt namens «Munich» in Deutschland gibt, wo die Einheimischen täglich «Guten Tag» zueinander sagen, das wissen die meisten Amerikaner.

Nach jenem ersten Telefonat in Göttingen wurde mir klar, dass ich mir schnellstens sehr viel mehr Wissen aneignen musste, wenn ich mich selber «unter Dach und Fach» bringen wollte in dieser Stadt der vielen Fachwerkhäuser. Es gibt Tage, an denen man mehr lernt als sonst in einem Monat. Mein erster Tag in Göttingen war so einer. Zum Glück war ich nicht allein; mir zur Seite stand mein bester Freund auf deutschem Boden: mein Wörterbuch.

Mit diesem fest in der Hand hatte ich mir bei Anbruch der Morgendämmerung einige Stunden lang die zahlreichen Wohnungsangebote in der Mensa auf dem Universitätscampus angeschaut. Leider waren mir viele der darauf zu findenden Angaben ziemlich schleierhaft. Das Schwarze Brett entpuppte sich als «Blackbox». Ich befand mich in einem Abkürzungsdschungel, aus dem mir nicht einmal mein kleiner eckiger Freund heraushelfen konnte: WaMa, BaWa, FB, VB, NB, WB, BZB, ETW, ETG, CT, KT, ZH, RH, DH etc. DHH irritierte mich am meisten, da ich nicht wusste, was der Unterschied zwischen einer Doppelhaushälfte und einem Haushalt sein sollte. Ich war außerdem unsicher, was der Unterschied zwischen Etage, Stock, Geschoss und Stockwerk sein könnte – ich kam mir sozusagen stockdumm vor. Wenigstens fand ich es plausibel, dass eine Warmmiete mehr als eine Kaltmiete kostete.

Unter den Anschlägen für Wohnungen fanden sich auch mehrere Kontaktanzeigen. Nachdem ich einige davon gelesen hatte, fragte ich mich, wieso so viele deutsche Frauen angeblich einen ehrlichen Mann suchten, aber trotzdem bereit wären, mit mir Pferde zu stehlen ...

Nach einer Weile vor dem Schwarzen Brett hatte ich mir einige Telefonnummern aufgeschrieben. Mit diesen bewaffnet, marschierte ich resolut zur Telefonzelle. Um mich etwas aufzubauen, dachte ich in der Telefonzelle daran, wie viel Deutsch ich in den letzten zweieinhalb Jahren gelernt hatte. Allerdings war mir klar, dass ich in Göttingen mit wildfremden Menschen würde telefonieren müssen – und ich musste komplizierte Fragen stellen. Und viel schlimmer noch: Ich musste komplizierte Antworten verstehen. Ich kam mir fast wie ein Gefangener vor: hilflos in einer (Telefon-)Zelle.

In der Telefonzelle habe ich mein Lehrgeld in Form von jeder Menge Zehn-Mark-Telefonkarten gezahlt. Nach einigen Stunden kam ich mir schließlich selbst etwas entwertet vor. Glücklichweise war das Ganze dann doch nicht vergeblich. Eine alte Dame namens Frau Wilbärt mit einem gut isolierten Haus, das in gut isolierter Lage lag, erkannte anhand unseres Gesprächs, dass sie in mir einen wahren Schatz (zum Plündern) gefunden hatte, da ich offensichtlich ein vollkommen wehrloser Mieter war. Am Ende des Gespräches fragte sie mich schließlich: «Herr Bergmann, wo steht Ihre Telefonzelle?» Glücklicherweise konnte nicht einmal meine leicht vermasselte Antwort sie abschrecken: «Sie steht einen Katzenwurf vom neuen Rathaus entfernt.» Sie erwiderte einfach: «Bleiben Sie, wo Sie sind! Ich hole Sie sofort ab.»

Kurz danach fuhr sie mich zu ihrem Haus, das auf einem Hügel stand. An der Haustür zögerte ich kurz, denn ein Schild erregte meine Aufmerksamkeit: «Vorsicht! Bissiger Hund!» Ich fragte Frau Wilbärt, wo dieser hartherzige Hund sei. Sie antwortete: «Hier gibt es keinen Hund. Jedes Haus hat so ein Schild. Es gehört einfach dazu.» Dies fand ich schon verwunderlich, aber ein zweites Schild verängstigte mich noch erheblich mehr: «Bitte die Füße abtreten!» Ich dachte nur: «Wie brutal!» An der Wand im Treppenhaus hing ein lustiges Foto von einer buntverkleideten Frau Wilbärt. Als sie meinen fragenden Blick sah, entgegnete sie: «Herr Bergmann, das ist ein Foto von Fastnacht.» Darauf fragte sie mich, ob ich wisse, wann Fastnacht sei. Ich antwortete jovial: «Natürlich!», und dachte mir, dass Fastnacht wahrscheinlich irgendwo zwischen Spätabend und Nacht kommt. Was mir nur etwas rätselhaft erschien, war, wieso man sich hier vor dem Zubettgehen so verkleidet …

Auf dem Weg nach oben sagte Frau Wilbärt mir, dass das Zimmer in der Endetage liege. Oben angekommen, realisierte ich beim Anblick der auf dem Dachboden zu vermietenden möblierten Besenkammer, dass im Deutschen «Endetage» und «Topwohnung» nicht unbedingt Synonyme sind.

Um meine Enttäuschung zu verbergen, versuchte ich was Nettes über das Kämmerlein zu sagen. Aber mein Kommentar, dass das Zimmer wie ein «stilles Örtchen» aussähe, schien Frau Wilbärt nicht zu überzeugen. Sie erklärte, dass einmal die Woche eine Putzfrau aus Ghana vorbeikomme, um das Zimmer zu reinigen. Auf meine Frage, wie viel das extra kostet, antwortete Frau Wilbärt: «Das Putzen ist schon in der Miete inbegriffen. Es ist ohnehin nicht so teuer, da die Frau ja schwarz arbeitet.» Während ich noch überlegte, ob «Schwarzarbeit» etwas mit dem «schwarzen Erdteil» zu tun hatte, fuhr Frau Wilbärt flüsternd fort: «Aber das mit der Schwarzarbeit sollten Sie nicht weitererzählen. Wenn das Finanzamt das mitbekommt, dann hauen die voll auf den Putz.» Obwohl ich recht wenig davon verstand, versuchte ich dennoch verständnisvoll zu nicken.

Nach diesem langen Tag war ich nicht mehr sehr anspruchsvoll. Die Wände des Zimmers waren zwar ziemlich schräg, aber ansonsten schien nichts sonderlich in Schieflage zu sein. Und schließlich musste die Wohnung keinesfalls makellos sein, mein Geldbeutel sagte mir lediglich mit Nachdruck, dass die Wohnung «maklerlos» sein musste. Daher schlug ich sofort zu und freute mich, meine neue Bleibe gefunden zu haben. Auch wenn sie nicht «vermöbelt» war.

11   Dudendeutsch – Budendeutsch

In der Besenkammerküche lagen viele Servietten auf dem Tisch. Offenbar hatte Frau Wilbärt diese von einem italienischen Restaurant «ausgeliehen», denn darauf fanden sich die Übersetzungen mancher deutscher Floskeln ins Italienische. Dies brachte mich während einer Fernsehpause auf die Idee, eine eigene Serviette zu kreieren. Darauf würde man auf der linken Seite das Deutsch der Lehrbücher haben und auf der rechten Seite das Deutsch, welches man zwar vielleicht nicht im Duden findet, dafür aber fast sonst überall: das Deutsch, das etwas Leben in die Bude bringt. Dieses Deutsch wird von Nichtwissenschaftlern (eigentlich nur von mir) als «Budendeutsch» bezeichnet. Hier ist also die erste Ausgabe der «Dudendeutsch-Budendeutsch-Serviette»:

Ja: Jaja

Einmal «ja» ist gut. Zweimal «ja» kann entweder doppelt oder eben nur halb so gut sein· Es hängt davon ab, ob der Tonfall sich hebt oder fällt. Wenn er sich hebt, heißt es: «Oh, ja!» Wenn er aber fällt, bedeutet «jaja» eigentlich vielmehr: «Mache ich. Mag ich aber nicht.»

Nein: Nee

Während meines zweiten Urlaubs in Deutschland habe ich das Wörtchen «Nee» aufgeschnappt. Zurück in Chicago traf ich mich mit Anja, um meine verbesserten Deutschkenntnisse in einem Gespräch mit ihr spielen zu lassen. Dabei wendete ich hin und wieder lässig ein «Nee» an. Mit erhobenem Zeigefinger sagte mir Anja: «David, so etwas sollte man nicht sagen.» Worauf ich antwortete: «Aber, Anja, das sagst du immer!» – «Nee, mache ich nicht.» Daraufhin mussten wir beide lachen. Bis dahin war es ihr nie aufgefallen, dass sie mindestens so oft «Nee» wie «Nein» sagt. Um sie darauf aufmerksam zu machen, musste erst ein Amerikaner kommen.

Keineswegs: Nö

«Keineswegs», wie «keinesfalls», ist ein schönes Wort, das leider einfach für manche Situationen zu lang ist. Dann passt viel besser ein «Nö». Wenn auch sehr kurz hat das Wort «Nö» nicht nur die Bedeutung von «keineswegs», sondern auch einige zusätzliche Konnotationen, wie zum Beispiel: «Aber hallo, was denkst du dir dabei?» – «Wie konntest du bloß den Eindruck bekommen?» Und: «Komm bloß nicht auf die Idee zu versuchen, meine Meinung dazu zu ändern.»

Selbstverständlich: Na logo

Ähnlich wie bei dem Wort «keineswegs» ist das Wort «selbstverständlich» ein schönes, wenngleich manchmal zu langes Wort. Wenn man schnell zum Ausdruck bringen will, dass man mit dem zuvor geäußerten «d'accord» ist, dann lässt man locker ein «na logo» los.

Entschuldigung: Vorsicht!

Im Deutschkurs lernt man, dass, wenn man jemanden stören muss, um durchzukommen, «Entschuldigung» gesagt werden sollte, genauso wie man «Excuse me» im Englischen sagt. Gebräuchlicher im Alltag scheint jedoch «Vorsicht!» zu sein. Damit erklärt man, dass sein Durchkommen möglicherweise ein Problem der anderen ist. Ähnlich läuft es bei den höflichen Wörtern «Verzeihung» und «Pardon», die wahlweise durch «Mach Platz!» und «Darf ich einmal durch?» ersetzt werden.

Frohgelaunt: Gut drauf

Wie die Wörter «frohgemut», «frohsinnig» und «froh» ist das Wort «frohgelaunt» zweifelsohne ein schönes Wort. Allerdings ist es heutzutage nicht mehr in allen Kreisen in Mode. Wenn man zum Ausdruck bringen will, dass man gut gelaunt und zugleich draufgängerisch ist, dann sagt man, dass man «gut drauf» ist. Will man noch einen draufsetzen, sagt man, dass man «super gut drauf» ist.

Herausragend: Turbogeil

Wenn einem Wörter wie «hervorragend», «herausragend», «ausgezeichnet», «wunderbar» oder «großartig» nicht passen, dann benutzt man irgendein Wort mit dem Wortstamm «geil». Beispiele sind «affengeil», «oberaffengeil» «oberaffentittengeil» oder «turbogeil». Unerklärlicherweise hat sich aber bislang mein Lieblingswort in diesem Zusammenhang, «topgeil» (wie Tom Cruise in einem schnittigen Kampfflugzeug wirkt), noch nicht durchsetzen können. (Ich muss in diesem Zusammenhang etwas gestehen: Das erste Mal, dass mir eine Frau nach einem Erfolgserlebnis sagte, «Ich bin so geil», habe ich ihre Aussage leicht missdeutet, zu der Enttäuschung aller Parteien.)

Nicht wahr?: Oder was?

Für viele Situationen ist der Ausdruck «nicht wahr» einfach zu zaghaft. Gleiches gilt für das freundliche süddeutsche «gell» und das norddeutsche «ne». Im Gegensatz dazu zeugt ein bestimmtes «Oder was?» von einer festen Überzeugung und klingt fast wie eine Herausforderung. Oder was?!?!

—

Die Hauptquelle für meine Serviette war eine massive Portion Fernseherdeutsch. Ich erkläre: Um in meiner Bleibe in Göttingen bleiben zu können, reichte es nicht aus, die Miete pünktlich zu bezahlen, ich brauchte auch eine Aufenthaltsbewilligung. Um diese zu ergattern, reichte es nicht aus, an die richtige Person im Ausländeramt zu gelangen, ich brauchte auch einen Studienplatz an der Uni. Und um einen solchen wiederum zu ergattern, reichte es nicht aus, die Studiengebühren zu bezahlen, ich musste auch eine Prüfung bestehen, und zwar eine der sprachlichen Art. Ja, ich musste beweisen, dass ich in Deutschland mehr als nur «Bahnhof» verstand. (Nervös war ich schon, schließlich hatte ich erst kurz zuvor erfahren, dass das Schild «Einbahnstraße» nicht ein Wegweiser zum Bahnhof ist.) Und nachdem ich meine Besenkammer bezogen hatte, blieb mir nur noch etwas mehr als eine Woche Zeit bis zur Aufnahmeprüfung Mitte September.

Rettung brachte ausgerechnet Frau Wilbärt. Sie überreichte mir zuerst meine Schlüssel zu der Wohnung und dann meinen Schlüssel zum Erfolg. «Herr Bergmann, damit Sie sich als Amerikaner etwas heimischer fühlen, habe ich auch die Fernbedienung zum Fernseher mitgebracht.» Sie kicherte «Hihihihi!», als sie das Leuchten in meinen Augen sah, verkannte aber den wahren Grund meiner Freude: In diesem Moment wurde mir nämlich klar, dass ich nun bestens ausgestattet war. Mit der Grammatik, dem Lesen und dem Schreiben kannte ich mich in der deutschen Sprache ja schon relativ gut aus; ein erhebliches Verbesserungspotenzial bestand jedoch noch beim Hörverständnis und beim Wortschatz.

Sobald ich das vermieterliche Kichern nicht mehr hörte, konnte mein «Fernseherstudium» ernsthaft beginnen!

Für mich war das Ganze zunächst ein recht stressfreies Lernen: Ich saß auf dem Stuhl, schaute zu und sog Wissen auf. Die einzige Lernbedingung war die Fernbedienung. (Diese lag auf meiner Hand und war schon bald nicht mehr von der Hand zu weisen.) In meinem Sprachkurs in Chicago hatte ich bereits gelernt, dass es im Deutschen unterschiedliche Dialekte gibt. Nun stellte ich fest, dass es auch viele Dialekte beim Fernseherdeutsch gibt, von denen einige für mich leichter zu verstehen waren als andere. Am Anfang fand ich die Werbung am besten, denn die Sätze waren kurz und knackig, die Bilder bunt und beweglich, und meistens erklärten sie sich gegenseitig. Aber das Allerbeste an der Werbung waren die Wiederholungen, die Wiederholungen und die Wiederholungen ...

Auch die Seifenopern waren hervorragend für mich geeignet. Am Ende der Woche kannte ich mich bestens bei *Gute Zeiten, schlechte Zeiten, Verbotene Liebe* und *Jeder mit jedem* (oder so ähnlich) aus. Davor hatte ich die Erfahrung gemacht, dass ich die Omas und Opas in Deutschland viel besser verstehen konnte als die Teenager, da die Senioren meistens langsamer, deutlicher und korrekter als die «jungen Wilden» sprachen. Aber in den Seifenopern konnte ich die Sätze der jungen Leute gut aufschnappen, da diese sehr kurz waren – und zusätzlich gab es dazwischen immer so verheißungsvolle Blicke.

Die deutschen Nachrichten hingegen waren mir anfangs viel zu kompliziert. Die Sätze waren zu lang und die Vokabeln einfach zu «nicht einfach». Noch anspruchsvoller als die Nachrichten waren jedoch *Die Simpsons*. Zum ersten Mal merkte ich, wie schnell die eigentlich alle sprechen. Bis dahin hatte die beliebte gelbe Familie es immer geschafft, mich zum Lachen zu bringen, aber jetzt waren die Tränen in meinen Augen nicht mehr die der Freude. Es wird oft behauptet, dass man eine Fremdsprache beherrscht, wenn man in dieser träumt. Das wage ich zu bezweifeln, aber wenn man sämtliche Sätze der Simpsons in einer Fremdsprache versteht, besteht kein Zweifel mehr: Dann beherrscht man diese Sprache.

Nach einigen Stunden intensiven Fernseherstudiums fühlte ich mich wie *Karate Kid*, als er versuchte, Fliegen mit Stäbchen zu fangen – die neuen Vokabeln flogen mir nur so um die Ohren. Dann fiel mir eine Lösung ein: Wenn ich die Fernbedienung in der linken Hand hielte, könnte ich besonders häufig vorkommende Worte mit der rechten Hand aufschreiben und später mit beiden Händen in meinem *Buch der Weisheit* nachschlagen. Diese Deutsch-Englisch-Wortlisten könnte ich dann später überall viel weniger aufwendig auswendig lernen. Ah: Wiederholung, Wiederholung, Wiederholung.

In der Woche des Fernseherstudiums gab es für mich viele Überraschungen, zum Beispiel die Feststellung, dass deutsche Wissenschaftler den amerikanischen Spätschichtkomiker David Letterman offenbar geklont hatten. Dieser Komiker-Klon hatte so ziemlich alles von David Letterman: ähnliche Witze, ähnliche Bühne, ähnlichen Ablauf usw. Nur sein Name klang typisch deutsch: Harald Schmidt. Obwohl ich bei weitem nicht alles verstand, merkte ich doch mit der Zeit, dass Herr Schmidt auch eigene witzige Witze hatte.

Er erinnerte mich an meine erste Begegnung mit dem Konzept der deutschen Synchronisierung von amerikanischen Filmen und Fernsehprogrammen: Der Schauspieler Billy Crystal war Anfang der neunziger Jahre in der Sendung von David Letterman zu Gast, denn er wollte dadurch etwas Werbung für seinen neuen Film machen. Aus Spaß hatte Letterman sich entschieden, Ausschnitte aus der deutschen Synchronisation zu zeigen. Die Zuschauer lachten sich darüber kaputt. Ich lachte damals auch, aber inzwischen macht dieses Konzept MICH kaputt. Vielen amerikanischen Zuschauern war es bis dahin nicht bekannt, dass es überhaupt synchronisierte Versionen amerikanischer Sendungen gibt. Billy Crystal beschwerte sich über die Eigenschaften «seiner» deutschen Stimme, die seiner Meinung nach nicht richtig klinge. Dieses Gefühl konnte ich inzwischen gut nachvollziehen; es ging mir nun bei meiner deutschen Stimme ähnlich.

Die nächste Überraschung war dann ein Film mit einem der größten Schauspieler des deutschen Sprachraumes: Arnold Schwarzenegger. Als ich den Vorspann erblickte, war ich begeistert. Bei den amerikanischen Männern ist Arnold nicht nur wegen seiner erheblichen Muskeln berühmt und beliebt, sondern auch wegen seiner Aussprache, die so stark und cool ist wie er selbst. Endlich hatte ich nun die Chance, seine echte Stimme zu genießen! Doch dann wich meine Begeisterung Entgeisterung: Obwohl der Film auf Deutsch lief, hatte Arnold nicht seine eigene Stimme, sondern wurde von einem Fremden synchronisiert! Dies fand ich schändlich, aber zumindest verständlich.

Enttäuscht suchte ich nach etwas Besserem und stieß in einem anderen Programm auf *Vier Hochzeiten und ein Todesfall* mit Hugh Grant – leider natürlich auch synchronisiert. Ich stellte nach einigen Minuten fest, dass Hugh Grant ohne seine englische Stimme machtlos war wie Superman mit einem Klotz Kryptonit in der Hand. Diese Verschwendung seines Talents erschien mir ungefähr so sinnvoll, wie wenn man Liz Hurley bei einem Radiosender beschäftigte.

In Deutschland könnte man fast den Eindruck bekommen, dass nicht nur Arnold und Hugh, sondern auch Eddie Murphy, Sean Connery, Bruce Willis und sämtliche andere «Sterne der Hollywood-Galaxis» ein perfektes Deutsch gelernt haben. Zum Glück für mein Fernseherstudium-Selbstbewusstsein passten die Stimmen einfach nicht, egal, wie gekonnt die Synchronisationskunst eingesetzt worden war. Dies scheint die meisten Deutschen aber überhaupt nicht zu stören, wohl da sie damit aufgewachsen sind. Für mich war dies jedoch eine gewaltige Umstellung, denn schließlich werden die wenigen in den USA gezeigten fremdsprachigen Filme mit Untertiteln versehen. Die bemerkenswertesten Ausnahmen hiervon waren die *Kung-Fu-* und *Godzilla*-Filme der siebziger Jahre, welche mich und meine Klassenkameraden allerdings auch gehörig irritierten – nicht nur weil die Lippenbewegungen gar nicht zu den Stimmen passten, sondern auch wegen Godzillas etwas ungewöhnlicher Monsterweltherrschaftsstrategie. Wieso er immer wieder Tokio angriff, während alle anderen böswilligen Ungetüme New York im Visier hatten, war für uns einfach unerklärlich.

Zweifelsohne war die größte Überraschung meines Fernseherstudiums die Entdeckung der amerikanischen Fernsehsendung, die in meiner Kindheit mein absoluter Favorit war: *Hogan's Heros* (*Ein Käfig voller Helden*). Diese hatte ich aus mehreren Gründen im deutschen Fernsehen nicht erwartet: Die Sendung ist älter als ich, die Qualität ist bestenfalls zweifelhaft, und es geht einzig und allein darum zu zeigen, wie witzige alliierte Soldaten dumme Deutsche im Zweiten Weltkrieg überlisteten. Ich hätte gedacht, die Deutschen würden sich genauso wenig über so eine Sendung freuen wie die Franzosen beim Anblick der Londoner U-Bahn-Station *Waterloo*. Wie dem auch sei – ich freute mich riesig. Wie bei vielen Amerikanern entstammten immerhin die meisten der ersten Juwelen meines deutschen Wortschatzes dieser Fernsehsendung: «Raus, raus, raus!», «Eins, zwei, drei», «Nein», «Jawohl, Herr Kommandant!», «Fräulein», «Hofbräuhaus», «Mmmm … Strudel!» und «Dummkopf». Diese ganz praktischen Ausdrücke benutzten wir Kinder zu Hause sehr gerne – und außerdem gaben sie mir einen kleinen Vorsprung für mein späteres Deutschlernen, sozusagen einen «Vorsprung durch TV».

Als Vokabeljäger war ich vom Fernseherstudium begeistert.

Meine Ausbeute war ja allgegenwärtig. In Chicago war das ganz anders. Dort wäre es kaum möglich, ein «Deutsch-Fernseherstudium» zu absolvieren; höchstens konnte man damals eine Satellitenschüssel kaufen und dann viel Geld bezahlen, um die *Deutsche Welle* zu bekommen. Und dieser Sender war noch nicht einmal komplett in deutscher Sprache! Im Gegensatz zu dem französischen Äquivalent, *TV5*, sind bei der Deutschen Welle sogar Sendungen dabei, die in anderen Sprachen über Deutschland informieren. Ich glaube, TV5 würde sich lieber in *Waterloo TV* umtaufen lassen, als Sendungen in anderen Sprachen auszustrahlen. Ich fragte mich, wie man auf Französisch «Nö» sagen würde.

12   Im Deutschen wird öfter reflektiert

Im Deutschen wird nicht nur öfter als im Englischen reflektiert, sondern auch in mehreren Varianten, was natürlich für den Deutschlernenden Konsequenzen haben kann. Als ich zum Beispiel im Sommer 1996 zu Anja sagte, dass ich vorhatte, mich im Herbst umzuziehen, schaute sie mich so komisch an, dass ich mich lieber sofort aus dem Staub gemacht hätte. Erst als sie mich fragte, ob ich mich nicht lieber jeden Tag umziehen würde, wurde mir mein Fehler bewusst. Wir besprachen eine Weile die Rolle des Reflektierens im Deutschen, was natürlich längst nicht bedeutete, dass ich dies anschließend beherrschte. Am Ende unseres Treffens verabschiedete ich mich von Anja mit den Worten: «Ich muss jetzt nach Hause sputen …»

Andere Fehler bei den reflexiven Verben klingen für deutsche Ohren zwar leicht falsch, aber nicht komisch genug, als dass jemand einen korrigieren würde. Deswegen dauerte es etwas länger, bis ich kapierte, dass es im Deutschen nicht heißt: «Ich wasche meine Hände» oder «Ich putze meine Zähne und kämme mein Haar», sondern «Ich wasche mir die Hände» sowie «Ich putze mir die Zähne und kämme mir die Haare». Im Englischen kommt es schließlich nur in wenigen Fällen vor, dass man Reflexivverben braucht, wie zum Beispiel: «He is enjoying himself.» («Er amüsiert sich.») Meistens werden sie nur verwendet, um etwas zu betonen, wie in dem Satz «I bought MYSELF a hat» («Ich kaufte mir einen Hut») oder «I am shaving MYSELF» («Ich rasiere mich»). Im Englischen könnte man hier den Reflexivteil einfach weglassen, ohne Verwirrung zu stiften.

Im Deutschen unterscheidet man jedoch zwischen drei Gruppen von reflexiven Verben. Erstens gibt es diejenigen, die ohne ihr Reflexivpronomen «sich» nicht möglich sind, wie «sich schämen», «sich beschweren» und «sich benehmen». Zweitens gibt es diejenigen, die reflexiv benutzt werden können oder auch nicht, so wie in den meisten Fällen im Englischen. Drittens gibt es diejenigen, die eine andere Bedeutung annehmen, je nachdem, ob sie reflexiv oder nicht reflexiv benutzt werden.

Diese dritte Variante ist besonders schwierig für Deutschlernende, wie diese Sätze zeigen:

► Sie verspricht ihm, sich während ihrer Rede nicht zu versprechen.

► Er nimmt an, dass sie sich der Aufgabe annehmen wird.

► Es handelt sich schließlich darum, sofort zu handeln.

► Sollte er sich auf dem Weg verlaufen, wird der ganze Tag schlecht verlaufen.

► Wenn es Probleme gibt, wird sich das schon geben.

Der Englischmuttersprachler kann sich zwar beispielsweise vorstellen, dass man *sich bewegt*, man *sich verletzt* oder man *sich setzt*: Schließlich sind diese Ausdrücke sehr bildlich. Aber er fragt sich nach dem Sinn von Formulierungen wie «man entscheidet *sich*» oder «man interessiert *sich*», da man im Englischen in so einer Situation auch ohne Reflexivpronomen sehr gut klarkommt. Bei langen Überlegungen würde sich der Englischmuttersprachler nur ärgern, und daher akzeptiert er irgendwann, dass man sich diese deutschen Regeln einfach aneignen muss. Schließlich ist es im Deutschen an und für sich einfach so …

Natürlich können sich auch manche komische Missverständnisse ereignen, wenn ein Englischmuttersprachler noch nicht das deutsche Reflektieren gemeistert hat. Einmal zum Beispiel, als Adelheid und ich vom Wandern zurückkamen, sagte ihre Mutter,

dass wir *uns* vor dem Abendbrot vielleicht lieber duschen und umziehen sollten. Da Adelheid des Englischen sehr mächtig war, erkannte sie sofort an meinem breiten Lächeln und leicht erröteten
Gesicht, woran ich zwangläufig dachte: «Auch wenn meine Mutter
sagt: ‹Ihr solltet *euch* duschen›, meint sie nicht zusammen!» Und
sie fügte hinzu, dass ich nicht nur allein duschen sollte, sondern
lieber auch kalt. (Ihr Blick verriet mir außerdem, dass das Gleiche
für «sich umziehen» galt ...)

Es kommt hinzu, dass man im Deutschen für die reflexiven
Pronomen natürlich nicht nur das Wort «sich» benutzt, sondern
auch «mich», «mir», «dich», «dir», «euch» und «uns». Dies ist
an sich nicht so dramatisch für den Englischmuttersprachler, da
man im Englischen ebenfalls mehrere reflexive Pronomen hat, die
allerdings immer mit der Silbe «-self» oder «-selves» enden, sprich
«myself», «yourself», «himself», «herself», «itself», «themselves»
und «ourselves». Da aber die deutschen Wörter «selbst» und «selber» für englischsprachige Ohren wie «self» klingen, neigen manche Englischmuttersprachler dazu, diese aus Versehen als reflexive
Pronomen zu benutzen. Das kann leicht zu gekränkten deutschen
Gefühlen führen, zum Beispiel wenn man jemandem sagt «Kaufe
heute selber etwas Brot!» und eigentlich meint: «Kaufe dir heute
etwas Brot!» Gegebenenfalls muss er sich dann sputen ...

▬

Da man bekanntlich von Luft und Lernen allein nicht leben kann,
machte ich mich noch am ersten Wochenende in meinem Besenkämmerlein auf zu einem Einkaufsbummel. Auf dem Weg hügelab dachte ich mir: «Ah, es geht nichts über einen schönen Sonn-
tagseinkaufsbummel.» Dachte ich ...

Ich erinnerte mich, dass ich am Tag zuvor während der Fahrt

im Auto meiner Vermieterin ein großes Schild im Schaufenster eines Supermarktes in der Nachbarschaft gesehen hatte, auf dem stolz geschrieben stand: «Durchgehend geöffnet!» Für mich war die Botschaft dieses Schildes glasklar: Hier kann ich 24 Stunden am Tag einkaufen! Aber sobald ich das Geschäft aus der Ferne erblickte, wurde es mir etwas unbehaglich zumute in meinem Bauch. Morgenstund' mag zwar Gold im Mund haben, aber diese hatte dann doch eher einen unangenehmen Beigeschmack. Ich schaute mir noch einmal das Schild an und blickte dann durch das Schaufensterglas: Der Supermarkt wirkte totenstill. Drinnen wurde nichts verkauft, nicht einmal tote Hosen. Der Laden war zu.

Mein Erkundungsgang ging in der Nachbarschaft des Supermarktes weiter. Ich kam an vielen schönen, attraktiven Läden vorbei. Lauter schöne, attraktive, geschlossene Läden. Mein Bauch knurrte immer lauter. Nach einiger Zeit musste ich aufgeben. Als ich schließlich hungrig und desillusioniert nach Hause kam, sah ich Frau Wilbärt in ihrem Garten. Ich fragte sie, was mit den geschlossenen Läden los sei. Nachdem ihr lautes Gelächter langsam abebbte, sagte sie mit Tränen in den Augen: «Schon wieder fällt ein Amerikaner auf das Schild rein! Hihihihi.»

Als sie dann allmählich merkte, dass ich immer noch auf eine Antwort wartete, wischte sie sich die Tränen aus den Augen und sagte: «Das heißt lediglich, dass sie dort keine Mittagspause an den Tagen machen, an denen der Supermarkt offen hat. Heute ist Sonntag, und im Gegensatz zu den USA heißt Sonntag hier Ruhetag. Wenn Sie heute essen wollen, haben Sie zwei Möglichkeiten: Entweder essen Sie in einem Restaurant, oder Sie gehen zur Tankstelle. Beides gibt es nur in der Innenstadt, und beides wird Sie teuer zu stehen kommen.»

Nach diesen Worten marschierte mein Bauch auf dem Weg in die Innenstadt schon voran. Ich folgte ihm zwar schnell, aber wir kamen nie dort an, denn auf dem Weg wurden wir verführt. Verführt von einem gewissen Kebab, Döner mit Vornamen. Widerstand war zwecklos. Ich war jung. Ich hatte wenig Geld. Ich musste mich ernähren. Und der Kebab auf dem Schild sah einfach nett aus. Mit seinem weißgekleideten, schnurrbärtig lächelnden Kochkumpel wirkte er so einladend. An diesem Tag begann für mich eine kurze, aber leidenschaftliche Beziehung. In den Stunden, in denen ich sonst nirgendwo in Deutschland Hilfe bekam, war Döner Kebab immer da. Er gab mir so viel und verlangte dabei so wenig. Meistens nur fünf fünfzig (und das noch in DM). Mit oder ohne Zaziki.

Als ich an besagtem Nachmittag viel früher als erwartet nach Hause kam, arbeitete Frau Wilbärt noch immer im Garten. Sie sah mich prüfend an und sagte: «Schon wieder ein Student verführt von dem verfluchten Döner Kebab.» Dann schnupperte sie ein bisschen aus gut zehn Meter Entfernung und fügte hinzu: «Mit Zaziki!»

Langsam bekam ich den Eindruck, dass Frau Wilbärt eine nicht sehr höfliche ältere Dame war. Dies bestätigte sich, nachdem ich den Mietvertrag unterschrieben hatte. Sobald sie diesen in der Hand hatte, sagte sie: «Herr Bergmann, ich mag Ihren Akzent nicht.» Und dann gleich noch hinterher: «Wenigstens sagen Sie nicht viel, und das, was Sie sagen, verstehe ich ohnehin kaum.» Ja, wenn man einen kleinen Wortschatz hat, dann ist man meistens wortkarg. Die Frau hingegen hörte sich gern selbst reden. Ich glaube, sie mochte es auch, einen aufmerksamen jungen Zuhörer zu haben. Eigentlich passten wir beide gut zusammen; sie war neugierig und schwerhörig, während ich neugierig und «schwersprachig» war.

Frau Wilbärt war stolz auf ihr Haus und ihren Hof. Auch wenn ich nach Zaziki roch, ließ sie sich dazu herab, mir ihren Garten zu zeigen. Anschließend fragte sie mich, ob ich jemals so einen schönen Garten gesehen hätte. Mein Versuch, ihre gärtnerischen Fähigkeiten zu loben, gelang leider nicht so ganz: «Der Garten ist in der Tat sehr schön. Fast so schön wie die wunderhübschen Gärten am Stadtrand, wo die Armen der Stadt in den kleinen Hütten wohnen.» Sie schaute mich irritiert an, dachte nach, schaute ihren Garten an und seufzte: «Sie meinen, mein Garten ist fast so schön wie die Schrebergärten?! Herr Bergmann, wo sich die Schrebergärten befinden, ist NICHT das Elendsviertel. Es ist vielmehr eine grüne Oase für Stadtmenschen, die in Wohnungen leben, jedoch ein eigenes Stück Natur haben wollen.» Und so ging unser Gespräch schnell zu Ende, denn während ich mir überlegte, ob dies etwas mit der Redewendung «das Gleiche in Grün» zu tun haben könnte, ging sie ohne Kommentar wieder ins Haus.

Selten habe ich mich so sehr auf einen Montag gefreut. In der Nacht träumte ich von dem weltweit hochgelobten deutschen Brot. Montagmorgen um sieben Uhr stand ich vor der Tür der Bäckerei neben dem «Überhaupt-nicht-super-Markt», der mich am Tag davor so bitterlich enttäuscht hatte. Ich musste mich jedoch noch ein wenig gedulden, da eine ältere Dame noch früher aufgestanden war und vor mir bedient wurde. Während sie verschiedene Brotsorten bestellte, lauschte ich wissbegierig, damit ich lernen konnte, wie man unauffällig Brotbestellungen abgibt. Die ganze Vorgehensweise schien auf den ersten Blick einigermaßen machbar: Ich müsste nicht einmal wissen, wie die Brotsorten hießen, oder noch besser, ob sie männlich, weiblich oder sächlich waren. Ich müsste nur auf die jeweilige Brotsorte mit dem Finger deuten und sagen «Ich hätte gern eins von denen» oder «Ich nehme zwei davon».

Doch dann der Schock. Mit einem breiten Lächeln sagte die ältere Dame der Verkäuferin: «Und zum Schluss hätte ich gern einen süßen Amerikaner.» Ich schwieg und tat, als ob ich ein Kanadier wäre. Mein knurrender Bauch hin oder her, ich schlich in

Richtung Ausgang. Aber dann sah ich, dass lediglich eine süß aussehende Scheibe in ihre Tüte getan wurde. Erleichterung! Seitdem weiß ich, wie es Dänen in amerikanischen Bäckereien gehen muss. Oder wie es Hamburgern, Wienern und Frankfurtern überall in den USA geht.

Dann kam ich an die Reihe. Die Bäckerin hinter der Theke merkte schnell an meinen Augen und an meinen Fragen, dass ich nicht nur ein brotloser, sondern obendrein auch noch ein ahnungsloser Student war. Und so erhielt ich eine kurze Einweisung in die deutsche Brotkunde. Brot, so sagte sie, sei nicht einfach Brot. Es gebe Weißbrot, Graubrot und Schwarzbrot – ja sogar «Grünbrot», wenn ahnungslose Studenten das Weißbrot zwei Wochen lang herumstehen lassen würden. Ich durfte sogar einige Brotsorten kostenlos kosten. Erwartungsgemäß schmeckte das Weißbrot vortrefflich, aber trotz seines wenig attraktiven Namens mundete mir das Graubrot noch besser. Erst beim Anblick des Schwarzbrotes bekam ich Hemmungen, da es so schwer aussah. Meine ersten Gedanken waren, dass Schwarzbrot eigentlich viel geeigneter wäre als Material für die kugelsicheren Uniformen der Polizei ...

Auf so eine Brotsorte war ich nicht vorbereitet: Schwarzes Brot gibt es zwar auch mal in den USA, aber eigentlich nur, wenn man vergessen hatte, den Toaster rechtzeitig abzuschalten. Dafür ist dort das sogenannte *Wonder Bread* viel bekannter. (Etwas Ähnliches kann man inzwischen in Deutschland unter dem Namen Toastbrot kaufen.) Die Beliebtheit des Wonder Bread liegt im Wesentlichen daran, dass man es stark mit den Händen komprimieren und dann, je nach Bedarf, Wochen später wieder in seine ursprüngliche Form «aufblähen» kann.

Dank des in der Nähe gelegenen Studentenwohnheims wusste die Bäckerin aber offenbar, wie man mit ängstlichen amerikanischen Studenten umgehen musste. Sie überreichte mir behutsam ein Stück Schwarzbrot mit frischem Käse. Skeptisch nahm ich das angebotene Brot unter die Lupe.

Doch dann kam der köstliche Moment des Vollkornbrotprobierens. Die Verwandlung dauerte zwar ein paar Sekunden, aber sie fand statt, und sie war komplett. Seitdem wundert es mich, dass amerikanisches Brot neben Schwarzbrot überhaupt als «Brot» bezeichnet werden darf. Zufrieden mit meiner Reaktion, erzählte mir die Bäckerin, dass ein Laib Schwarzbrot in etwa den Nährwert von zwei Lkw-Ladungen Toastbrot enthalten würde. Nicht nur dies kaufte ich ihr ab. Bevor ich nach Deutschland kam, hatte ich von Deutschen gehört, die jahrelang zufrieden in den USA gelebt hatten, dann jedoch plötzlich nach Deutschland zurückmussten, da sie nicht mehr mit den amerikanischen Brotsorten auskamen. Vorher hegte ich erhebliche Zweifel an diesen Legenden, aber jetzt glaubte ich sie vorbehaltlos!

In den USA gehe ich, wie viele Amerikaner, selten in Bäckereien, denn das Brot dort ist meistens mittelmäßig bis mittelprächtig, und die süßen Sachen versetzen einem einen Zuckerschock. Aber in dieser deutschen Bäckerei gab es für mich nur eine einzige Enttäuschung, und zwar die unreflektierte Antwort der Bäckerin auf meine Frage, ob das Schwarzbrot selbst gebacken sei: «Ja, aber nicht von uns.»

13 Vorsilben, die Vorliebe verdienen

In Anbetracht der Vormachtstellung dieser Silben in der deutschen Sprache ist es kein Wunder, dass sie Vorsilben heißen. Denn obwohl sie klein sind, können sie wie Katalysatoren phantastische Wirkungen hervorbringen. Sie erinnern mich an die kleinen Schlepperboote im Hamburger Hafen, die die Fahrtrichtung der größten Schiffe der Welt bestimmen. So können diese wenigen Buchstaben bei deutschen Wörtern wahre Wunder vollbringen, wie die folgenden Beispiele zeigen:

Un-
Wenn diese Vorsilbe auftaucht, kann die Richtung der deutschen Sprache schlagartig umgedreht werden. Ein *Unglück* ist schließlich nicht einfach das Gegenteil von Glück, es ist eine Katastrophe! Ein *Unwetter* ist ja nicht nur etwas schlechtes Wetter, es werden möglicherweise Gebäudedächer durch die Luft gepustet. Wenn man ein *Unding* macht, wird man eventuell dingfest gemacht. Das Wort *unverschämt* ist außerdem kein wenig verschämtes Benehmen, es liegt möglicherweise eine Zumutung ersten Grades vor! Und letztendlich ist ein *Unwort* kein bloß nicht existierendes Wort, sondern ein Wort, das bei Tageslicht nicht auszusprechen ist!

Ge-
Das gewisse gewaltige «ge» ist das wahre Arbeitstier unter den deutschen Vorsilben und wird überall gebraucht. Diese

Vorsilbe taucht nicht nur bei Bildung des Passivs und der Vergangenheit auf – auch wenn das allein schon Leistung genug wäre. In einem Substantiv zeigt sie beispielsweise, dass etwas oft geschieht, vielleicht häufiger als notwendig: das *Geschrei*, das *Getue*, das *Gebell*, das *Gelächter* usw. Sie kann aber auch eine Menge von Elementen bezeichnen, wie etwa das *Gehölz*, das *Gelände*, das *Gestein*, das *Getier* etc. Oft wenn das «ge» hinzugefügt wird, ändert sich dadurch leicht die Bedeutung, sodass Deutsch hier eine feine Bedeutungsdifferenzierung ermöglicht, die vielleicht keine andere Sprache hat. Beispielsweise sind *Gebeine* und *Gelüste* nicht genau das Gleiche wie Beine und Lüste, ge?

Ur-

Mit dieser Vorsilbe können sich aus dem Wortstamm neue, bislang ungeahnte Kräfte entfalten. Der *Urknall* war nicht bloß ein lauter Knall, sondern der Knall, der alles in Gang brachte. Wenn jemand *uralt* ist, dann ist er nicht viel jünger als der Urknall. Ein *Urweib* ist nicht nur ein gutes Weib, sondern eben die Mutter aller Weiber. Ein *Urschrei* ist nicht einfach nur ein lauter Schrei, sondern was ein Mann von sich geben kann, wenn er im Bett mit einem Urweib ist. *Urkomisch* ist so viel mehr als nur sehr komisch. Und ein *Urtyp* ist nicht nur ein vorbildlicher Typ, sondern der Typ schlechthin – und nicht zu vergessen eine urdeutsche Biersorte.

Erz-

Die Erzeugnisse dieser Vorsilbe sind kein schwaches Zeug. Laut deutschen Grammatikbüchern verstärkt diese Vorsilbe die Bedeutung eines Adjektivs im negativen Sinn, wie bei den Wörtern *erzfaul*, *erzdumm* und *erzkonservativ*. Auch bei einem *Erzlügner*, *Erzfeind* oder *Erzverbrecher* mag dies vielleicht stimmen, aber man sollte es keinem *Erzbischof*, *Erzvater* oder *Erzengel* erzählen.

Zer-

Diese Vorsilbe kommt bei Englischmuttersprachlern ähnlich gut an wie die Umlaute: Sie sieht stark aus und verleiht einem Wort etwas mythische germanische Härte. Auch hier können Englischmuttersprachler etwas neidisch werden, da das Englische so etwas nicht hat. Man muss nicht einmal Deutsch können, um beim Anblick folgender Wörter zu ahnen, das es sich nicht um Nettigkeiten handelt: *Zerrüttungsprinzip*, *Zermürbungskrieg*, *Zerstörungswut*, *Zerreißprobe*, *Zersetzungsprozess* oder *Zertrümmerung*. Sogar die Vorsilbe allein schafft es, ein fieses Verb zu bilden: *zerren*.

Er-

Diese erhabene Vorsilbe bezeichnet entweder den Beginn einer Handlung oder den Übergang in einen anderen Zustand. Bei dem Beginn einer Handlung verleiht diese Vorsilbe dem Wortstamm auch einen gewissen Stil. Wenn man etwas *erblickt*, *erduldet* oder *ergreift*, dann tut man es ja anders, als wenn man einfach etwas blickt, duldet oder greift. Oder sollte eine Blume *erblühen*, dann ist das mehr als nur irgendwelches tagtägliches Blühen. Bei dem Übergang in einen anderen Zustand hat diese Vorsilbe eine ähnliche Wirkung: Sollte man in seinem Beruf nicht nur viel gearbeitet haben, sondern auch große Ziele *erreicht* haben, dann hat man sich etwas *erarbeitet*. Und wenn man die Benutzung dieser erheblichen Vorsilbe gemeistert hat, dann hat man die deutsche Sprache nicht nur gelernt, sondern *erlernt*. Diese Vorsilbe spielt auch eine entscheidende Rolle bei dem wichtigsten Übergang im Leben: dem Tod. Ich frage mich, wieso man im Deutschen das Unwort «gekillt» benutzt, wo man es so viel genauer ausdrücken kann mit *erdolchen, erstechen, erschlagen, erschießen, erwürgen* etc. Dank des Zusatzes «er-» weiß jeder sofort Bescheid, was passiert ist.

Voll-

Mit dieser Vorsilbe kann ein Wortstamm entweder verstärkt werden, wie in *Vollidiot, Vollgas, Volltreffer* und in meinen Lieblingsbeispielen «Die Vorlesung war voll leer» und «Es riecht hier volle Kanne nach Kaffee!» Oder die Vorsilbe kann den Wortstamm zu einer Verwandlung bringen, wie bei den Wörtern *vollblütig, vollkommen, Vollkraft* und *volltönend*. Also muss man aufpassen, wenn man diese starken vier Buchstaben verwendet, um einen Satz zu vollenden, sonst könnte man es voll daneben vollbringen.

—

Viele Amerikaner, die neu in Deutschland sind, haben das Gefühl, dass man sich hier kaum umdrehen kann, ohne irgendwo anzustoßen. Im Gegensatz zu den großen, offenen Landschaften der USA kann der Amerikaner in Deutschland manchmal den Eindruck bekommen, dass alles sehr eng und voll ist. Dieses Gefühl überkam auch mich, als ich in dem Dachbodenzimmerlein von Frau Wilbärt den winzigen Kühlschrank unter die Lupe nahm. Ich fragte mich: Wie kann ich bloß mein Essen für die nächsten zwei Wochen da hineinpacken?

Um mich seelisch und körperlich auf meine Einkaufsjagd vorzubereiten, stellte ich mich erst mal unter die Dusche. Dort hatte ich den Einfall, dass sich mein Dilemma mit dem Minikühlschrank wohl nur so lösen ließ: Ich musste alle zwei Tage einkaufen gehen! Für einen Mann aus dem «Land der unbegrenzten Kühlschränke» war dies ein Riesengedankensprung. Heureka!

Als ich fertig war und den Vorhang zur Seite schob, merkte ich, dass der Fußboden im Badezimmer nass war. Ich war offenbar so tief in Gedanken versunken gewesen, dass mir das überhaupt nicht aufgefallen war. Ich versuchte, alles schnell in trockene Tücher zu bringen, bevor Frau Wilbärt etwas davon mitbekam. Sollte Letzteres passieren, würde ich bestimmt gleich wieder schweißgebadet sein.

Dann lief ich hügelab zum Supermarkt. Dort wartete bereits die nächste Überraschung auf mich: Zu meiner Verblüffung waren die Einkaufswagen aneinandergekettet. Um sie zu befreien, musste man Lösegeld in Höhe von einer D-Mark einsetzen. Ich dachte mir: Wenn ich nun täglich einkaufen muss, wird mich dies teuer zu stehen kommen. Ich hegte den Verdacht, dass dies ein Komplott der Supermärkte und der Hersteller von winzigen Kühlschränken war.

Bei dieser Gelegenheit wollte ich auch meine erste deutsche Zeitschrift kaufen. Nun schien es so zu sein, dass in Deutschland eine Zeitschrift anscheinend keine ernst zu nehmende Zeitschrift ist, wenn nicht irgendwelche halb nackten Frauen auf der Titelseite abgebildet sind. Dies ist dann nur noch so zu übertreffen: ganz nackte Frauen. Und an jeder Verkaufsstelle sind diese Zeitschriften nicht nur nicht zu übersehen, sondern auch noch leicht «handgreiflich»! Ganz im Gegensatz zu den USA, wo Zeitschriften wie *Playboy* hinter der Kasse geschützt aufbewahrt werden, sodass sie von den Kunden durch eine missmutige Verkäuferin, Plastikverpackung und manchmal sogar Stacheldraht getrennt sind.

Es wird häufig behauptet, dass es in Deutschland zu wenig Innovation und Kreativität gibt, aber wenn ich sehe, wie seriöse

Zeitschriften wie *Der Spiegel* oder *Der Stern* es schaffen, trockene Themen irgendwie mit nackten Frauen zu verbinden, mache ich mir darüber keine Sorgen. Und eindeutig die kreativste der deutschen Zeitungen ist *Bild*. Da diese so allgegenwärtig ist, kaufte ich mir selbst auch eine Ausgabe. Beim Durchlesen verstand ich dann aber erst recht nicht, wieso sie so beliebt ist; ich hatte den Eindruck, dass in der ganzen Zeitung die einzige Aussage, die als komplett unumstritten zu bezeichnen wäre, der Name des Blattes selber war.

Dort im Supermarkt las ich auf einem Schild, dass das Mindestalter für das Rauchen in Deutschland sechzehn Jahre beträgt. Streng genommen mag dies der Fall sein, aber in Wirklichkeit hängt das Mindestalter lediglich davon ab, wie alt das Kind ist, wenn es groß genug ist, um an die Schaltflächen der allgegenwärtigen Zigarettenautomaten zu kommen. (In den USA sind die Zigaretten zwar nicht so schwer zu kaufen wie die mit Fotos nackter Frauen ausgestatteten Zeitschriften, aber leicht zugängliche Automaten sind dort schon längst verboten.) Es wundert mich sehr, dass ein Land, das sich so sehr um das Wohlbefinden seiner kleinsten Mitbürger kümmert, so etwas duldet. Deutschland ist das Land, das den Kindergarten erfunden hat, und jetzt sehen die Kinder hier an jeder Ecke Zigarettenautomaten und Zigarettenwerbung mit niedlichen Zeichentrickfiguren.

Es war ein harter Kampf – das Einkaufen dauerte seine Zeit, da ich die Etiketten genau lesen musste, aber zum Glück gab es auf den meisten Sachen bunte Bilder der Inhalte –, aber am Ende der Jagd im Supermarktrevier war ich zufrieden mit der Beute in meinem Wagen. Doch an der Kasse erlitt ich einen weiteren Schock. Nachdem die Kassiererin meine Waren gescannt hatte, schleuderte sie diese auf einen kleinen Haufen. Ich stand geduldig, tüten- und tatenlos dabei und wartete auf den «Bag-Boy», der meine Sachen flink und freundlich eintüten würde. So war es mir schließlich von den Supermarkteinkaufssitten in den USA geläufig. Es kam aber kein Bag-Boy vorbei, und die Leute hinter mir in der Schlange schauten mich zunehmend irritiert und ungeduldig an. Als ich die Kassendame fragte, wo der «Beuteljunge» wohl bliebe, erkannte sie meinen Akzent und antwortete: «Sie sind nicht mehr in den USA, junger Mann. Hier müssen Sie Ihre Sachen selbst eintüten!»

Zum Glück konnte ich dies dann relativ rasch erledigen, da ich während meiner Jugend einen Sommer lang selber den Bag-Boy-Beruf ausgeübt hatte. Dabei verdiente ich ganze 2,85 Dollar die Stunde plus Trinkgeld. Als ich den Filialleiter darauf hinwies, dass der Mindestlohn 3,35 Dollar die Stunde beträgt, erwiderte er nur: «Ich weiß, dass das ein Hungerlohn ist, aber ihr könnt sämtliche beschädigten unverkäuflichen Waren mit nach Hause nehmen.» Nach dieser Aussage gab es plötzlich viel mehr ramponierte Waren im Laden, sodass fortan nicht nur die Götterspeise und der Pudding gezittert haben, wenn wir Bag-Boys vorbeigingen ...

Schlimmer noch als die miese Bezahlung waren für uns die Temperaturschwankungen, wenn wir zwischen den 19 Grad des stark klimatisierten Supermarkts und den 40 Grad pendelten, die auf den Parkplätzen (wohin wir die Tüten zu den Autos trugen) herrschten. Aber auch bei der Einstellung der Klimaanlage ließ der Chef nicht mit sich reden. Wie das in Amerika weitverbreitete Sitte ist, wollte er das lokale Klima nicht nur leicht modifizieren, sondern geradezu bezwingen. So ist meine Aversion gegen amerikanische Klimaanlagen entstanden. Immer wenn ich in deutschen Supermärkten wehmütig werde, weil es dort keine Bag-Boys gibt, tröste ich mich damit, dass wenigstens die hiesigen Klimaanlagen nicht auf amerikanisch-arktisch gestellt werden.

Ungefähr so rasch wie ich damals mit meinen beschädigten Waren nach Hause gelaufen bin, packte ich im deutschen Supermarkt meine Sachen in meine zwangsweise neu gekauften Tüten ein und lief zum Ausgang, wo ich dann wenigstens freudig überrascht meine D-Mark aus dem Einkaufswagen zurückbekam.

Ähnlich wie es wohl schon Männern in grauer Vorzeit erging, entschwand auch meine hart erbeutete gute Laune nach der Jagd bei der Rückkehr zur Frau daheim. Frau Wilbärt stand im Eingang mit einigen nassen Tüchern und strengem Blick. Sie sagte: «Herr Bergmann, es ist klar, dass Sie den Unterschied zwischen ‹wasserdicht› und ‹wasserabweisend› nicht wissen.» Nach ihrer Erklärung habe ich den Unterschied nie auch nur für eine Sekunde vergessen.

Frau Wilbärt nutzte diese Gelegenheit, um mir noch einige weitere Hausregeln zu erklären. Anschließend sagte sie: «Aber ich bin bereit, diesen ‹Wasserfehler› vielleicht zu vergessen, wenn Sie mir einen kleinen Gefallen tun würden: Ich brauche etwas Trinkwasser.» Ich warf einen irritierten Blick auf den Wasserhahn, worauf Frau Wilbärt mich entsetzt ansah (so, als ob ich nicht ganz dicht sei) und mit einer abweisenden Handbewegung erklärte: «Nein, das ist Fußwasser; Trinkwasser holt man in Kisten vom Supermarkt. Und vergessen Sie nicht: Wasser ohne Kohlensäure kommt bei mir nicht in die Tüte!» Ich dachte mir nur: Wer tut denn schon Wasser in eine Tüte?

Nach etwas Sucherei im Supermarkt fand ich eine Kiste, die Frau Wilbärts Beschreibung zu entsprechen schien; zumindest ging aus dem Etikett hervor, dass dieses Wasser entsprechend mit Luft und Liebe ausgestattet war. Ich schleppte die Kiste zur Kasse, wo die dort postierte Dame nun mehr Geld von mir verlangte, als das Wasser kostete. Ich bat um eine Erklärung, doch zum Glück fragte ich nicht, in was für einem Saftladen ich mich befand. Schließlich wirkte die «Kassenkaiserin» nicht allzu geduldig. Sie antwortete, dass das Extrageld das Pfand auf das Leergut sei. Während ich in der anderen Hosentasche nach mehr Kleingeld suchte, fragte ich mich, wieso dies «Leergut» heißt, aber ich traute mich nicht mehr, ihr weitere Fragen zu stellen.

Auf dem Weg zurück leuchtete es mir aber ein, wieso eine leere Wasserkiste so bezeichnet wird: So einen vollen Klotz schleppen zu müssen ist wahrlich das Gegenteil von «voll gut»! ...

14 Ein Auto, zwei Äuto?

Auf der Liste der schwierigsten Aspekte des Deutschlernens steht für die meisten Menschen an zweiter Stelle (nach der Frage «Der, die, *was?*!») die Pluralbildung. Die Möglichkeiten der Pluralbildung im Deutschen sind so diffus, dass sie sogar in jedem Grammatikbuch etwas unterschiedlich quantifiziert und gruppiert werden. Je nach dem, in welchem davon man nachschaut, gibt es zwischen vier und zwölf Möglichkeiten der Mehrzahlbildung. (Dies liegt daran, dass oft mehrere Kategorien zusammengefasst werden – wahrscheinlich damit der Anfänger nicht sofort den Mut verliert.)

Diese dutzend verdutzenden Möglichkeiten sind:

1 Es kommt nichts hinzu: z. B. ein Mädchen – zwei Mädchen

Diese Möglichkeit betrifft Wörter, die entweder männlich oder sächlich sind. Sollte der Deutschlernende allerdings noch nicht wissen, was für ein Geschlecht manche Wörter haben, könnte er Probleme haben, die folgenden Befehle korrekt auszuführen: «Kannst du die Fenster schließen?», «Holst du die Becher?» oder «Mache hier bloß keine Fehler!» Darüber hinaus können andere Wörter auch nur gelegentlich in diese Kategorie hineinrutschen. Zum Beispiel das Wort «Pfund» im folgenden Satz: «Er bewegte seine Pfunde mit Mühe, nachdem er drei Pfund Äpfel gegessen hatte.» Oder das Wort «Pfennig», wie hier: «Wer eine Stunde für nur fünf Pfennige arbeitet, hat nicht für fünf Pfennig Verstand.»

2 Es kommt ein Umlaut hinzu: z. B.
ein Bruder – zwei Brüder

Auch wenn Englischmuttersprachler in der Regel große Anhänger der Umlaute sind, bereitet ihnen diese Möglichkeit der deutschen Pluralbildung oft Schwierigkeiten, zum Beispiel wenn sie noch nicht zwischen den Klängen von U und Ü oder O und Ö unterscheiden können. Nicht nur männliche Englischmuttersprachler hören dann keinen Unterschied zwischen «Mutter und Tochter» und «Mütter und Töchter». Der folgende Beispielsatz verdeutlicht vielleicht auch Deutschen, wie willkürlich ihre Pluralbildung wirkt: «Wollen wir mit zwei Äuto zu den beiden Diskö fahren, da man nachher wegen der vielen Kinö der Gegend bestimmt keine Täxi mehr kriegt, oder sind die Risikö zu hoch?»

3 Es kommen ein Umlaut und ein «e» hinzu:
ein Kran – zwei Kräne

Ähnlich befremdlich wirkt diese Art der Pluralbildung auf Englischmuttersprachler. Die deutsche Sprache hat jetzt Radios, Zoos und Kanus. Wie wäre es aber, wenn sie stattdessen *Rädioe*, *Zööe* und *Känue* hätte?

4 Es kommen ein Umlaut und ein «er» hinzu:
ein Haus – zwei Häuser

Hier muss der Deutschlernende aufpassen, da beispielsweise die Mehrzahl von dem Wort «Land» zwar «Länder» ist, aber die Mehrzahl von Deutschland NICHT Deutsch*länder* ist.

5 Es kommt ein «er» hinzu: z. B.
ein Kleid – zwei Kleider

Für Deutschlernende kann die Buchstabenkombination «er» am Ende eines Wortes manchmal so willkürlich erscheinen wie das deutsche Wetter selber, was natürlich nicht die Mehrzahl von Wett ist. Es mag «ein Bild, zwei Bilder» und «ein Kind, zwei Kinder» heißen, jedoch heißt es auch «ein Kölner, zwei Kölner» und «ein Krieger, zwei Krieger». Man fragt sich also manchmal, wie viele Dinger hinter dem «-er» stecken. Neben der ersten Möglichkeit der Pluralbildung ist die Zweideutigkeit die Buchstabenkombination «er» wohl daran schuld, dass man nur im sogenannten Denglisch folgende Begriffe kennt: zwei *Cheerleader*, die großen *Globalplayer*, neue *Computer*, einige *Insider* und die *Mover* und *Shaker*. Ich möchte wissen, weshalb man im Deutschen der Meinung ist, dass man das «s» der Mehrzahl einfach weglassen kann. Schließlich hat man im Singular weder ein «Cheerlead», «Globalplay», «Comput», «Insid» noch ein «Mov und Shak», nicht einmal in deutschen Varianten der englischen Sprache …

6 Es kommt ein «e» hinzu: z. B.
ein Hund – zwei Hunde

Mit dieser Möglichkeit der Pluralbildung haben die meisten Deutschlernenden weniger Probleme. Das Einzige, was wirklich erschwerend hinzukommen kann, ist, wenn das «e» am Ende eines Wortes nur auftaucht, weil das Wort im Dativ steht. Wenn man beispielsweise weiß, dass das Wort «Pferd» sachlich ist, jedoch liest, dass der Ritter auf dem *Pferde* sitze, dann könnte man fälschlicherweise daraus schließen, dass der Ritter quasi zwischen zwei Stühlen sitzt.

7 Es kommt ein «n» hinzu: z. B.
eine Kugel – zwei Kugeln

Ähnlich ist die Problematik bei dieser Möglichkeit der Pluralbildung. Der Deutschlernende hört den Satz: «Mit den vielen Leuten und den hohen Fenstern kamen sie nicht klar», und schließt daraus, dass man Folgendes sagen könnte: «Die Leuten sollten weniger Fenstern haben.»

8 Es kommt ein «en» hinzu: z. B.
ein Bett – zwei Betten

Bei dieser Möglichkeit der Pluralbildung ahnt der Deutschlernende zunächst nichts Böses. Er lernt, dass man entweder eine Zeitung oder zwei Zeitungen hat, und ist zufrieden. Heikel wird es jedoch, wenn er merkt, dass er nicht nur den Doktoranden, den Präsidenten oder den Demonstranten etwas geben kann, sondern auch einem einzelnen Doktoranden, Präsidenten oder Demonstranten. Im Herzen wird er außerdem enttäuscht, wenn er merkt, dass es sich bei Utopisten, Helden, Prinzen und Musikanten manchmal nur um Einzelpersonen handelt.

9 Es kommt ein «nen» hinzu: z. B.
eine Lehrerin – zwei Lehrerinnen

Eigentlich ist diese Form der Pluralbildung relativ einfach zu lernen. Man könnte sie jedoch verbessern. Zum Beispiel ist eine Frau aus Finnland eine Finnin. Und zwei sind Finninnen. Aber wenn acht dabei sind, ist man dann nicht unter Finninninninninninninninnen? (Dies ist übrigens eine schöne Vorstellung!) Leider finden die Finninnen, denen ich in Deutschland dieses Wortspiel erzähle, es ähnlich witzig wie die Scherzfrage: «Wie heißt Sonnenuntergang auf Finnisch?» – «Helsinki!»

10 Es kommt ein «s» hinzu: z. B.
ein Park – zwei Parks

Unter den meisten Deutschlernenden genießt diese Möglichkeit der Pluralbildung die größte Beliebtheit. Schließlich entspricht sie der Pluralbildung vieler anderer Sprachen wie Englisch und Spanisch. Diese Form kommt im Deutschen nicht nur bei Fremdwörtern wie Restaurants, Ufos oder Babys vor. Man sagt zum Beispiel auch Omas und Opas. Und bei der Familie Löwenzahn sagt man nicht «die Löwenzähne», sondern «die Löwenzahns». Ähnlich ist es bei den Meyers oder den Müllers. Noch wichtiger ist diese Art der Pluralbildung bei Vornamen. Wenn man sagt, dass zu der Party zwei Susannes kommen, dann freut man sich, sollte die Rede aber von zwei «Susannen» sein, kommt man ins Grübeln.

11 Es kommt ein «se» hinzu: z. B.
ein Erlebnis – zwei Erlebnisse

Sobald man Kenntnisse dieser Möglichkeit der Pluralbildung hat, hat man weniger Besorgnisse und Wagnisse.

12 Es kommt darauf an: z. B. ein Organismus –
zwei Organismen, ein Museum – zwei Museen

In der zwölften Kategorie sind allerlei Fremdwörter enthalten, bei denen die Mehrzahlbildungen so unterschiedlich sein können wie die Herkunftsländer der Wörter selbst. Unter den üblichen Verdächtigen sind Wörter wie Agenda, Globus, Komma, Praktikum und Visum. Auch wenn diese Kategorie das Deutschlernen nicht unbedingt leichter macht, hat sie zumindest einen großen Vorteil: Da bei diesen Wörtern sogar Deutsche selber oft durcheinanderkommen, neigen sie eher dazu, Verständnis für arme Deutschlernende zu haben, wenn diese Fehlern machen.

In Anbetracht dieser Überzahl an Pluralmöglichkeiten stellt sich der Deutschlernende die Frage: «Muss das alles sein?» Leider lautet die Antwort für die deutsche Sprache «ja». Eigentlich gilt dies für alle germanischen Sprachen. (Dies könnte einer der Hauptgründe sein, weshalb die Römer in der Antike den Germanen so misstrauten.) Im Englischen wird in der Regel der Plural mit einem «s» gebildet, aber auch hier gibt es ein paar wenige Ausnahmen wie etwa *deer* (deer), *ox* (oxen), *child* (children), *man* (men), *foot* (feet) und *goose* (geese), welche alte Wörter germanischen Ursprungs sind.

Besonders schwer muss es für einen Deutschlernenden sein, der keine germanische Muttersprache hat, sondern etwas ganz Unverwandtes, wie zum Beispiel Indonesisch. In dieser Sprache ist die Pluralbildung weitaus weniger kompliziert. Ein Mensch ist zum Beispiel ein *orang*, zwei Menschen sind *dua orang* und eine undefinierte Anzahl von Menschen sind *orang-orang*. (Nur bei wenigen Verdopplungen bekommt das Wort eine neue Bedeutung. Zum Beispiel heißt *mata* Auge, während *mata-mata* Spion bedeutet, was wiederum eher niedlich als anstrengend wirkt.) Auch beim Schreiben wird auf Unkompliziertheit geachtet, sodass man anstelle von «*orang-orang*» auch «*orang2*» schreiben kann. Wenn im Deutschen anstelle von Bäumen und Häusern, von BaumBaum und HausHaus die Rede wäre, dann würde das Deutschlernen eindeutig weniger Problemfall2 bieten.

▬

Während meines intensiven Fernseherstudiums in Göttingen hätte ich eine derartige Vereinfachung des Deutschen zu schätzen gewusst. Das Fernseherstudium ging aber schnell vorbei, und es kam der Tag der Wahrheit. Ich saß an einem Herbsttag in einem großen Hörsaal auf dem Uni-Campus und schaute mich um. Dabei kam ich mir vor wie im U N O-Gebäude in New York, denn es waren Leute aus der ganzen Welt versammelt, und alle hatten dasselbe Ziel: friedlich weiterzukommen. Ich stellte mich dem jungen Mann neben mir vor und fragte ihn, wie er heiße und wo er herkomme. Er sagte: «Ich bin Juri aus Königsberg.» Ich entgegnete, dass ich noch nie jemanden aus Kaliningrad kennengelernt hatte, worauf er verblüfft meinte: «Sag mal, was für ein Amerikaner bist du, dass du weißt, wo Kaliningrad liegt? Bist du etwa ein Spion?»

Juri war später zusammen mit mir in einigen Deutschkursen, wo ich seinen Sinn für Humor sehr zu schätzen lernte – nur nicht am Tag der Prüfung. Ich war zu nervös. Außerdem schien Juri sich für meinen Geschmack viel zu gut mit der deutschen Sprache auszukennen. Er konnte sogar kluge Wortspiele machen, wie zum Beispiel: «Die, die die, die die Antworten wissen, beneiden, werden hoffentlich vor der nächsten Sprachprüfung etwas fleißiger sein.» Noch beeindruckender fand ich seinen Satz: «Wenn hinter Fliegen Fliegen fliegen, fliegen Fliegen Fliegen hinterher.» Ich kam kaum hinterher und musste lange überlegen, wie viele Fliegen nun dabei waren. Ich fragte ihn, ob er nicht auch aufgeregt sei, und er sagte: «Na ja, einigermaßen …» Während ich das Wort «einigermaßen» nachschlug, reimte Juri munter: «Wer nicht gut schreibt, der nicht hier bleibt.»

Um Selbstvertrauen zu sammeln, während die Zettel der schriftlichen Prüfung ausgehändigt wurden, dachte ich zurück an die vielen neuen Erkenntnisse, die ich in den letzten Wochen sammeln konnte. Dies gab mir den nötigen Mut. Am nächsten Tag ging es weiter mit dem mündlichen Teil der Prüfung. Im Warteraum hatte ich wieder Juri neben mir. Erneut fragte ich ihn, ob er nervös sei. Seine Antwort dieses Mal: «Na ja, gewissermaßen.» Während ich das Wort «gewissermaßen» nachschlug, erklärte er fröhlich: «Wir können gut schnacken, wir kriegen's gebacken.»

Das «Verhör» dauerte dann nur knapp 15 Minuten, und ich verwendete mein bestes Fernseherdeutsch – auf die verheißungsvollen Blicke verzichtete ich allerdings lieber. Einige Stunden später kam das Ergebnis: Bestanden!

Es war gut, dass ich mein Fernseherstudium abgeschlossen hatte, bevor ich meine erste Telefonrechnung von der Deutschen Telekom bekam. Bis zu diesem Zeitpunkt war mir nicht ganz klar gewesen, was Adelheid mit der Unmöglichkeit des Vieltelefonierens gemeint hatte, denn in den USA war zu der Zeit das Telefonieren schon längst erschwinglich geworden. Doch meine erste deutsche Telefonrechnung werde ich nie im Leben vergessen. Es war Oktober 1996, und ich freute mich zunächst einfach, einen Brief bekommen zu haben. Ich hätte jedoch wohl Böses ahnen müssen, als Frau Wilbärt ihn mir grinsend überreichte. Zum Glück wartete ich mit dem Öffnen des Briefes, bis ich wieder oben in meinem Zimmer war, was den Vorteil hatte, dass ich vor meinem Bett stand, als ich beim Anblick meiner Schuld bei der Deutschen Telekom fast in Ohnmacht fiel.

Da ich zuerst einen Rechenfehler vermutete, rief ich die auf der Rechnung angegebene Telefonnummer an. Aber es war kein Mensch in der Leitung, sondern lediglich eine Ansage. Da ich mindestens ein paar besänftigende Worte erwartet hatte, war ich tief enttäuscht, als die Stimme mir mit – wie mir schien – unverhohlenem Vergnügen erklärte, was eine Monopolstellung bedeutet.

Erst als ich Adelheid an dem darauffolgenden Wochenende traf, wurde ich jedoch wirklich aufgeklärt. Sie überreichte mir die offizielle Telefon-Tarif-Tapete der Deutschen Telekom. Es war ein Wahnsinn. Obwohl ich eigentlich Tabellen grundsätzlich dermaßen mag, dass meine Freunde manchmal den Kopf schütteln, brauchte ich eine Weile, bis ich bei diesem Monstrum den Überblick bekam. Die Welt wurde von der Telekom offenbar in folgende Zonen aufgeteilt: *City, Regio 50, Regio 200, Fern, Euro 1, Euro 2, Welt 1, Welt 2, Welt 3* sowie *Welt 4.* Und für jede Zone gab es wiederum folgende

Tarife: *Mondscheintarif, Freizeittarif, Vormittagstarif* und *Nachmittagstarif.*

Erst jetzt verstand ich, was die fröhliche Ansagestimme meinte, denn da stand es schwarz auf weiß, dass ein einstündiges Telefonat in die USA zu einer nicht unchristlichen Zeit sage und schreibe DM 86,40 kostete. Bei so einer stattlichen Summe hätte ich eigentlich eine andere Bezeichnung erwartet, wie vielleicht *äußere Planetenumlaufbahn-Zone 3* zum *Weltuntergangtarif 2.* In Gedanken träumte ich von einer schönen, neuen Welt der Zukunft mit revolutionären Konzepten wie *Free-Call, Call-Time, Free-Time, German-Call* etc.

PS
Die Mehrzahl von «Mehrzahl» ist bekanntlich «Mehrzahlen», woran ich oft denke, wenn ich bei den deutschen Mehrzahlen schon wieder mehr Lehrgeld zahlen muss, als ich zunächst erwartet hatte.

15   In der Kürze liegt die Würze

Deutsch ist nicht nur die Sprache der ewig langen Wörter und Sätze. Es gibt auch manche Wörter, die kurz, knackig und dennoch nahezu unentbehrlich sind. Sie könnten jede Sprache der Welt erheblich bereichern:

Doch

Es gibt viele Deutsche, die fest der Überzeugung sind, dass Englisch die beste Sprache der Welt sei. Alles, was Deutsch könne – behaupten sie –, könne Englisch besser. Um das Gegenteil zu beweisen, brauche ich nur ein einziges kurzes deutsches Wort: *doch*. Will ich dies verdeutlichen, nehme ich flink das volle Getränk meines deutschen Gesprächspartners in die Hand, und tue, als ob ich es mit einem Schluck gierig austrinken will. Dabei sage ich schnell: «Du hast nichts dagegen, oder?» Auch wenn wir uns bislang auf Englisch unterhalten, sagt mein Gesprächspartner zwangsläufig: «Doch!» In so einer Situation reicht die Zeit einfach nicht aus, um das vergleichsweise umständliche «Yes! I do!» mit seinen drei Silben auszusprechen. Außerdem kann man beim *doch* den CH-Laut so betonen, dass der Gesprächspartner sich quasi gezwungen fühlt, das unverzehrte Getränk sanft wieder auf dem Tisch abzusetzen.

Quatsch

Das Wort *Quatsch* hat einige hervorragende Eigenschaften, die Wörter wie Unsinn, Nonsens oder Blödsinn nicht haben: Es besteht aus nur einer Silbe, es knackt bei der Aussprache, und es kann beim Endlaut ähnlich wie *doch* so betont werden, dass jegliches Wenn und Aber im Keim erstickt wird.

Jein

Ja und nein. Sein oder nicht sein. Was will man mehr? Dieses Wort ist so praktisch und zeitsparend, dass ich es unfassbar finde, dass wir so etwas im Englischen nicht haben. Als Alternativen zum englischen «Yes and no» stünden einige zur Verfügung, wie zum Beispiel «Nyes». Das klingt vermutlich etwas zu russisch, um in den USA große Chancen auf Erfolg zu haben. Leider ist eine weitere Alternative «Yo» schon besetzt, da dies im Englischen ungefähr so viel wie «He, Alter!» bedeutet. Zu *Jein* sage ich ja!

Doof

Ähnlich wie bei den niedlichen Umlauten hat das Wort *doof* etwas Argloses, worüber man sich gar nicht lange aufregen kann. Dies heißt schon viel, da *doof* eigentlich ein abwertendes Wort ist. Es liegt wohl an der innewohnenden positiven Natur des Wortes. Die Fähigkeit, etwas mit dem Wort doof harmlos zu beleidigen, fehlt einem Englischmuttersprachler. (Das Gleiche gilt übrigens für die Bezeichnungen «Doofheit» und «Doofi».)

Eben

Wenn ich Deutschen erzähle, dass eines der tollsten Wörter der deutschen Sprache *eben* ist, sagen mir viele: «Aber ihr habt doch im Englischen das Wort ‹exactly›!» Darauf antworte ich natürlich: «Aber ‹exactly› entspricht eigentlich vielmehr dem deutschen Wort ‹genau›. Und zwischen ‹genau› und ‹eben› gibt es einen großen Unterschied, oder?» Auf diese Frage bleibt ihnen nichts anderes übrig, als «ja» zu antworten, wozu ich triumphierend sagen kann: «Eben!» Um das Gleiche im Englischen zum Ausdruck zu bringen, müsste man einen ganzen Satz formulieren, wie etwa: «Das ist es, was ich dir die ganze Zeit zu erklären versuche!» Sehr praktisch? Eben!

Natürlich gibt es im Deutschen neben diesen würzigen kurzen Wörtern auch die weitaus bekannteren ewig langen und umständlichen Ausdrucksweisen, was ich sogleich während meiner ersten deutschen Uni-Vorlesung zu spüren bekam.

———

Der Mann auf dem Podium sprach eine Sprache, die mir wenig bekannt vorkam. Ich hatte das Gefühl, dass es wohl eine germanische Sprache sein müsste, aber sicher war ich nicht. Hin und wieder konnte ich einige Brocken aufschnappen, aber nie auch nur einen ganzen Satz. Diese Brocken habe ich dann niedergeschrieben und ratzfatz nachgeschlagen. Meine Daumen waren bereits mächtig am Dampfen, als ich nach einiger Zeit endlich die brünette Studentin zu meiner Linken, die ich eine Woche zuvor kennengelernt hatte, fragte, was das denn bloß für eine Sprache sei, die der Mann hinter dem Pult sprach. Sie flüsterte zurück: «Das nennt sich Beamtendeutsch hoch zwei.»

Es war Anfang Oktober 1996, und ich saß in meiner ersten BWL-Vorlesung. Der Professor stand vorne und baute Wortgebilde auf, die mir komplizierter als die russische Seele vorkamen. Ich hätte nie geahnt, dass Sätze so lang werden können; oftmals musste ich eine halbe Ewigkeit auf das letzte Verb des Satzes warten.

Ein typischer Satz lautete ungefähr wie folgt: «Die in der Presse heiß umstrittene und in weiten Kreisen der Öffentlichkeit mehrfach diskutierte Vereinfachung des Wirtschaftsprüfungsverordnungsreformgesetzes, das kurz vor dem Ende der letzten Legislaturperiode knapp die Genehmigung verloren hatte, ist in der gestrigen Sitzung des Bundesausschusskomitees, das vor einem Monat nach einer immer wieder verlängerten Renovierungsphase in das neu eröffnete Regierungsgebäude am östlichen Rande des Stadtzentrums eingezogen war, im Einklang mit den Erwartungen der meisten Experten ... bla, bla, bla.» Auch wenn ich jedes Wort verstanden hätte, wüsste ich am Ende eines so langen Satzes über seine Kernaussage kaum mehr als an seinem Anfang. Das erinnerte mich an ein Zitat von Mark Twain: «Ich hatte keine Zeit, einen kurzen Brief zu schreiben, deswegen schrieb ich einen langen.»

Ich drehte mich um und schaute ins Auditorium, um meine zunehmende Schläfrigkeit zu bekämpfen. Hinten im Hörsaal sah ich Juri, der aussah, als ob er gerade dabei wäre, Wetten mit zwei anderen Russen über den Ausgang des Satzes abzuschließen. Nur mit Mühe richtete ich meine Aufmerksamkeit wieder nach vorne, wo der Satz inzwischen den Eindruck erweckte, als ginge er seinem Ende zu: «Bla, bla, bla ... zu lautem Beifall der Mehrheit der Anwesenden der Linkspartei, die bei der letzten Wahl zur Überraschung der Führung der CDU wieder in den Bundestag eingezogen war, kläglich gescheitert.» Erleichtert, dass sich dieser Spannungsbogen endlich geschlossen hat, gab ich der Versuchung nach und schaute, ob hinten unter den Russen ein paar Geldscheine den Besitzer wechselten.

Wieder flüsterte ich etwas ins Ohr der brünetten Studentin an meiner linken Seite, die übrigens «Schnelle Susi» hieß. Ich fragte sie, was ihre Meinung zu der Vorlesung sei. Nach der Vokabelflut der letzten Stunde war ich von der Kürze ihrer Antwort, die ihre geballten Reaktionen und Gefühle in einem prägnanten Wort zusammenfasste, schwer beeindruckt: «Schnarch!» Dass eine Sprache sich derart entweder in langwieriger Länge oder würziger Kürze ausdrücken kann, beeindruckte mich in dem Augenblick sehr. Auf der Suche nach mehr Wissen fragte ich die schwarzhaarige Studentin auf meiner rechten Seite, die ich auch eine Woche zuvor kennengelernt hatte und übrigens «Schlaue Susi» hieß, was sie zu der Vokabellawine meinte. Sie sagte einfach: «Seufz!» Ich lernte schnell und dachte mir: «Schluck!»

Meine linke Sitznachbarin, «Schnelle Susi», wurde neugierig, wie es mir in der Vorlesung ging, und fing an, mich flüsternd auszufragen. Das Gespräch lief – gelinde gesagt – suboptimal.

«David, sag einfach Bescheid, wenn du hier etwas nicht verstehst.»

«Bescheid.»

«Kommst du überhaupt mit in der Vorlesung?»

«Wieso, wohin gehen wir?»

«Das Thema ist schließlich nicht ganz ohne.»

«Ohne was?»

«Leider waren die Tischvorlagen schon alle.»

«Alle was?»

«David, also sag mal ...»

«Mal!»

«Stöhn!»

Dann sagte sie: «David, jetzt ist aber Schluss mit lustig!» Ich freute mich über diese Aussage, zumindest so lange, bis mir die Schlaue Susi auf meiner rechten Seite kurz darauf erklärte, dass «Schluss mit lustig» doch nicht die deutsche Übersetzung von *Happy Ending* sei ...

Zum Glück wurde mir schon während der Orientierungseinheit gesagt, dass ich in die Vorlesung mein Fernglas mitbringen sollte, wenn ich den Professor sehen wollte. Sagen wir es so: In vielen Vorlesungen an deutschen Universitäten überkommt einen selten ein

Gefühl der Einsamkeit. Dies hat den Vorteil, dass der Professor es kaum merkt, wenn man – eingelullt von seinen schönen langen Sätzen – mitten in der Vorlesung einschläft. Und so döste ich während der zweiten Hälfte der Vorlesung ein wenig und träumte, dass auch ich eines Tages Beamtendeutsch hoch zwei sprechen könnte.

Aus dieser schönen Träumerei wurde ich unsanft herausgerissen, als plötzlich ein Sturm losbrach. Die Verwandlung war schnell, komplett und unerwartet. Eben noch saß ich inmitten Hunderter schreibender Studentenhände, und im nächsten Moment tobten Hunderte von Studentenfäusten auf den Tischen. Hellwach dachte ich, diese Aktion sei ein Aufruf zum Aufstand – aber stattdessen wurde einfach aufgestanden und gegangen. Ich fragte meine hilfreiche Kommilitonin, was der «Attackeruf» zu bedeuten hätte. Sie erklärte mir, dass man nach einer Vorlesung in Deutschland auf die Tische klopfe; dies sei eine Art Applaus. Die meisten meiner deutschen Kommilitonen hatten den Saal bereits verlassen, bevor ich mich von meinem Schock erholt hatte, aber in der ersten Reihe sah ich einige Schweden noch zitternd dasitzen – wie beruhigend, dass es nicht nur mir so ging. Dies hatte man uns während der Orientierungseinheit nicht erklärt. Ah ja, überhaupt die Sache mit der Orientierung ...

Glücklicherweise hatte die Universität damit gerechnet, dass am Anfang die meisten der neuen Studenten orientierungslos sein würden, denn die Woche vor Vorlesungsbeginn war die Orientierungswoche. Offiziell galt ich als «Quereinsteiger», da mein amerikanischer Abschluss als Vordiplom anerkannt wurde, und so durfte ich an der Orientierungseinheit für Studienortwechsler teilnehmen. Dort wurde mir einiges erklärt – zum Beispiel auch, wieso mein sehr teures achtsemestriges Studium in den USA nur als ein Grundstudium an einer kostenlosen Universität in Deutschland anerkannt wurde.

Ich war zwar schon 25 Jahre alt, aber ich fühlte mich in Göttingen nicht fehl am Platz, da dies ungefähr das Durchschnittsalter der Studenten war. In den USA hätte ich wohl altersbedingte Ermäßigungen bekommen, da es dort kaum Studenten gibt, die älter als 23 Jahre sind. In Amerika hetzen sich die meisten beim Studium gewaltig ab, da dort Zeit wortwörtlich Geld ist. Dies ist ein großer Unterschied zwischen den beiden Ländern. Während viele Deutsche zufrieden sind, wenn sie mit 30 Jahren das Studium hinter sich gebracht haben, sind Amerikaner enttäuscht, wenn sie mit 30 noch nicht Millionär geworden sind.

Unsere Gruppe in der Orientierungswoche bestand aus etwa 15 Studenten, von denen die meisten aus anderen Universitäten in Deutschland kamen. Gleich zu Beginn mussten wir uns der Gruppe vorstellen. Damit wir uns die Namen der anderen besser merken konnten, sollten wir bei den Vorstellungen ein Adjektiv benutzen, das mit demselben Buchstaben beginnt wie unser Vorname. Dies funktionierte hervorragend. So wurde die braunhaarige Susi die Schnelle Susi und die schwarzhaarige Susi die Schlaue Susi. Auch dabei waren beispielsweise der Rollende Robert, der Demolierende Dirk, die Witzige Wiebke, der Friedliche Friedhelm, die Frauliche Frauke, der Fanatische Frank und die Bierliebende Birgit.

Bei der bloßen Vorstellung, mich den anderen vorstellen zu müssen, wurde ich nervös – besonders weil alle anderen offenbar fließend Deutsch sprachen. Ich überlegte, ob ich mich als «Der mit dürftigen Deutschkenntnissen David» vorstellen sollte, entschied mich aber letztlich doch dagegen und nannte mich stattdessen der Durstige David.

Der Rollende Robert erzählte uns bei seiner Vorstellung zwar, dass er aus Kroatien komme. Für mich klang er aber wie ein normaler Einheimischer. Er behauptete auch, dass Deutsch nicht seine Muttersprache sei, und ich fragte ihn später, was sein Geheimnis sei.

«Was denn für ein Geheimnis?»,

«Wie hast du es geschafft, ein akzentfreies und fehlerfreies Deutsch zu sprechen?»

«Na ja, eigentlich wurde ich in Frankfurt geboren, aber meine Eltern waren kroatische Einwanderer ...»

Seiner Meinung nach war die Muttersprache die Sprache der Mutter; meiner Meinung nach war das Mogelei. In meinen amerikanischen Augen war er eindeutig ein Deutscher kroatischer Abstammung, oder, wenn er es denn unbedingt so wollte, ein Kroatien-Deutscher. So sehen wir dies jedenfalls in den USA, wo ich ein «German-American» bin. Nie hätte mein Vater behauptet, dass er Deutscher sei, auch wenn seine Mutter überwiegend Plattdeutsch sprach.

In der ersten Orientierungsveranstaltung wurde uns auch erklärt, dass die Sache mit der Pünktlichkeit an der Uni nicht so ernst zu nehmen sei; es gelte vielmehr das sogenannte akademische Viertel. Das bedeutete, dass man mit einer fünfzehnminütigen Verspätung zu bestimmten Veranstaltungen kommen durfte. So etwas war wichtig zu wissen, denn zuvor hatte ich gedacht, dass das akademische Viertel der Stadtteil sei, wo die Professoren wohnten. Ich habe auch gestaunt, dass im Gegensatz zu meiner Universität in den USA keine Anwesenheitspflicht an der Göttinger Uni bestand. Wenn man für etwas nichts bezahlt, muss man wohl auch nicht unbedingt immer dahin.

Ebenfalls ausgesprochen wichtig für mich war die Erläuterung, wie die Mensa funktioniert. Im Englischen versteht man unter «Mensa» nämlich einen Verein, der allerlei hochintelligente Menschen unter ein Dach bringt. Nun lernte ich, dass im Deutschen die Mensa ein Ort ist, wo allerlei Sorten von Eintopf unter einem Dach angeboten werden. Der Eintopf schmeckte mir übrigens vortrefflich, und er war sogar noch günstiger als ein Döner! Das war auch deshalb gut, weil ich so langsam das unbehagliche Gefühl im Bauch bekam, dass man sich vielleicht doch nicht überwiegend von Döner ernähren sollte.

In der Orientierungseinheit lernte ich leider auch, dass ich lediglich den Titel «Diplomkaufmann» erwerben konnte. Ich war enttäuscht, denn ich wollte eigentlich die drei Zauberbuchstaben des Erfolges in der Geschäftswelt auf meine Visitenkarte bekommen: MBA. Bevor ich meine Stelle bei der Firma in Chicago gekündigt habe, hatte ich mir überlegt, ob ich einen amerikanischen MBA (Master of Business Administration) erwerben oder lieber für ein Jahr ins Ausland gehen sollte, um dort einen deutschen MBA zu erlangen. Damals wusste ich noch nicht, dass dies für etwas ganz anderes stehen würde, und zwar für «Meister der beamtendeutschen Ausdrücke».

Staun!

16 Gnädige Sprache befehlen?

In den USA habe ich Geschichte im Nebenfach studiert, mit dem Schwerpunkt auf Europäischer Geschichte. In einem Kurs las ich ein englisches Geschichtsbuch aus dem Ersten Weltkrieg, in dem der folgende propagandistische Satz stand: «Die deutsche Sprache hat sich so entwickelt, um die perfekte Sprache für das Militär zu sein.» Da ich zu der Zeit noch recht wenig Deutsch konnte, erschien mir diese Aussage einigermaßen plausibel. Schließlich wirkten die Befehle der deutschen Offiziere in den Kriegsfilmen vom Klang her ziemlich präzise, prägnant und unwiderstehlich. Erst nachdem ich mich intensiver mit der deutschen Befehlsform auseinandergesetzt hatte, wusste ich, dass diese These gar nicht stimmen kann. Im Deutschen ist es einfach viel zu umständlich, Befehle zu erteilen.

Wenn man zum Beispiel im Englischen jemandem sagen will, dass er etwas gefälligst nicht vergessen soll, braucht man für jede Situation nur ein einziges Wort: «Remember!» Im Deutschen hingegen hat man «Erinnere dich!», «Erinnert euch!», «Erinnern Sie sich!» sowie «Erinnre dich» und «Erinner dich». Das E am Ende des deutschen Imperativs sorgt beim Deutschlernenden für einige Unklarheiten: Manchmal sollte man es weglassen, da das Wort sonst altmodisch wirkt, manchmal sollte man es jedoch dabei haben, da das Wort ansonsten schlecht auszusprechen ist. Letzteres sehe ich bei Wörtern ein, die auf «ig», «ch», «n», «m», «t» oder «d» enden; schließlich möchte niemand aussprechen: «Rechtfertig dich!», «Rechn mit Rache!» oder «Leid leise, ohne zu klagen!»

Bei den starken Verben wird es für den Deutschlernenden noch schwieriger. Ein bekannter Werbeslogan im Englischen ist «Just be!», was zum Ausdruck bringen will, dass man sich nicht unter Druck setzen lassen, sondern selber seinen Lebensstil gestalten sollte. Bei der deutschen Übersetzung gerät man schnell unter Druck: «Sei einfach!», «Seid einfach!» beziehungsweise «Seien Sie einfach». Die Alternativen sind noch schlechter: «Einfach sein» oder «Einfach sein lassen». Was die Übersetzung angeht, wohl Letzteres.

Obwohl man in Deutschland sehr viel Wert darauf legt, konsequent zu sein, kommen sogar Muttersprachler bei der Befehlsform der trennbaren Verben durcheinander. So habe ich zum Beispiel schon mehrfach etwas in der Art von «Herr Professor Doktor Schmidt, passt auf!» gehört. Meistens ist zum Glück der gewisse Herr Professor Doktor Schmidt dermaßen mit der Frage beschäftigt, weshalb er aufpassen muss, dass er nicht merkt, wie man ihn quasi geduzt hat. Ich finde es daher verständlich, dass die Deutschen Vereinfachungen für diese Problematik gefunden haben. Lauert Gefahr, kann man dies leicht zum Ausdruck bringen, indem man einfach «Vorsicht!» ruft. Und wer sich Gehör verschaffen will, bittet schlicht um «Ruhe!!!».

Was man von allen Sprachen der Welt wohl nur im Deutschen kann, ist, die Dringlichkeit eines Befehles in einem prägnanten Wort auszudrücken, indem man das Partizip Perfekt gebraucht. Wenn man das Wort «Aufgepasst!» geschrien hört, weiß man sofort, was zu tun ist. Leider lernt man diese Regel in den meisten Deutschkursen relativ spät. Diese Meinung teilen sicherlich vor allem kriminell veranlagte Ausländer mit mir. Schließlich wird die im allgemeinen Sprachgebrauch wenig benutzte Befehlsform vor allem von der deutschen Polizei gerne benutzt. Und man sollte besser wissen, was gemeint ist, wenn die einem «Hiergeblieben!» hinterher ruft ...

Glücklicherweise habe ich mich schon früh mit den verschiedenen Befehlsformen der deutschen Sprache auseinandergesetzt. Schließlich wohnte ich in einem Haus, in dem die Frau Wilbärt das Sagen hatte …

———

Am Ende meines ersten Monats in der Besenkammer klopfte es mal wieder an meiner Zimmertür. Wie immer war es «Fräulein» Wilbärt. Nachdem ich die Tür aufgemacht hatte, merkte ich, dass es ernst war.

«Herr Bergmann, der Monat geht zu Ende, und die Miete muss vor dem Ende des Monats für den nächsten Monat bezahlt werden.» Gehorsam holte ich eine Unmenge von Dollarscheinen aus meinem Koffer und legte sie meiner Vermieterin vor, die aber nur verneinend den Kopf schüttelte: «Vor einigen Jahrzehnten hätte ich vielleicht US-Dollar akzeptiert, aber damals war der Dollar doller. Jetzt gilt bei der Mietzahlung nur deutsche Qualität.»

Ich schaute in mein Portemonnaie, um nachzusehen, ob ich genügend D-Mark darin hatte. «Herr Bergmann, die Miete müssen Sie mir überweisen!» Offenbar war die erste Barzahlung eine Ausnahme gewesen. Ich fand dies nicht nur ein Unding, sondern geradezu bar-barbarisch. Ich erklärte Frau Wilbärt, dass für mich «unbar» leider noch unmachbar wäre, da ich ja kein Bankkonto hätte. «Dann müssen Sie schnellstens ein Bankkonto eröffnen. Es gibt in dieser Stadt ja schließlich viele Studenten, die ein Bankkonto besitzen und sehr gerne Ihr Zimmer nächsten Monat mieten würden.» Erst als sie unten im Treppenhaus angekommen war, hörte ich das vermieterliche Kichern nicht mehr. Mir war unmissverständlich klar, dass, wenn ich nicht in die Puschen käme, ich aus der Wohnung gepusht würde.

Also machte ich mich auf den Weg in die Stadt, um ein Konto

zu eröffnen. Dies war ungefähr so schwierig, wie ich es erwartet hatte. Zuerst schaute ich bei der Citibank vorbei. Den Namen kannte ich schon, da es eine amerikanische Bank ist, also hoffte ich, dort gute Chancen zu haben. Dachte ich … Drinnen gab es für mich weder Landsleute noch Heimvorteil, noch Konto. Der Bankangestellte erklärte: «Herr Bergmann, unsere Zielgruppe sind Menschen, die aller Wahrscheinlichkeit nach das Land in den nächsten Monaten nicht verlassen werden. Menschen, die etwas Geld haben. Menschen, die Arbeit haben. Menschen, die Bürgschaften zur Verfügung haben. Sollten Sie eines Tages diese Eigenschaften besitzen, können wir ins Geschäft kommen.» Darauf sollte er besser nicht zählen.

Bei anderen Banken lief es ähnlich. Das Dienstleistungsangebot der *Spar-da*-Bank schien mir recht eindeutig, aber für mich wurde sie leider zur *Nix-da*-Bank. Ich fürchtete bereits, dass ich bald ein Konto auf einer Parkbank würde eröffnen müssen, als ich wider Erwarten bei der Commerzbank Glück hatte.

Überrascht wurde ich dort noch mehr, als ich die freundliche Dame fragte, ob ich mir die Farbmuster der Schecks aussuchen könnte (in den USA gilt dies als besonderer Service). «Herr Bergmann, Schecks brauchen Sie hier nicht.» Meine Gegenfrage hatte sie wohl nicht erwartet: «Weil ich so wenig Geld habe?» Dann erklärte sie, wie das Zahlungssystem in Deutschland funktioniert.

Auch wenn es effizient sein mag, dauerte es, bis ich den Unterschied zwischen einer EC-Karte und einer Eurocard verinnerlicht hatte. Als Erbsenzähler war ich aber natürlich begeistert davon, dass ich mir täglich einen neuen Kontoauszug holen konnte. Nachdem ich meine allererste Überweisung getätigt hatte, war ich erleichtert, dass alles geklappt hatte und ich somit endlich meine Schuldigkeit getan hatte.

Begeistert wie ein Kind am Heiligabend hob ich mein erstes Geld am Automaten ab. Die Scheine selbst fand ich faszinierend.

Sie waren bunt und hatten unterschiedliche Größen, so ganz anders als die Dollarscheine in den USA, die alle gleich groß und gleich grün sind. Auf der Rückseite des Zehnmarkscheins waren einige der Göttinger Wahrzeichen abgebildet. Der Herausforderung, diese in der Stadt selbst zu finden, stellte ich mich gerne. Noch besser fand ich den Hundertmarkschein, weil Clara Schumann einfach äußerst hinreißend aussah. Leider war die Sache zwischen mir und der Clara eine sehr einseitige Beziehung, denn offenbar wollte sie viel lieber in den Händen von betuchten Männern gesehen werden.

Ich wollte meine neuen Scheine sofort ausprobieren und entschied mich, ein paar große Einkäufe zu tätigen. Ich brauchte so ziemlich alles. Nicht einmal mein kleines Besenkämmerlein konnte ich richtig mit Leben füllen, da ich nur so viel aus den USA dabeihatte, wie ich in zwei Koffer pressen konnte. In Göttingen war mir früh aufgefallen, wie viele Fahrräder unterwegs waren. Besonders beachtlich fand ich die allgegenwärtigen Fahrradwege; noch beachtlicher allerdings die Tatsache, dass sogar viele ältere Damen auf Fahrrädern zu sehen waren. Was für ein Land! Die älteren Damen wollen ihr Geld überwiesen bekommen und benutzen Fahrräder als Fortbewegungsmittel in der Öffentlichkeit!

Es war also vollkommen klar, was mein erster Einkauf sein musste. Schließlich wollte ich in Sachen Straßengeschwindigkeit mit den Omas mithalten können. Ich machte mich also auf den Weg aus dem Bankenviertel auf die Suche nach dem Fahrradviertel. In einem düsteren Hinterhof am Rande der Innenstadt fand ich schließlich einen Gebrauchtfahrradladen. Der Verkäufer fragte mich, was für einen Drahtesel ich kaufen wollte. «Ich möchte keinen Drahtesel kaufen; ich brauche ein Fahrrad!», antwortete ich störrisch. Darauf sagte er nichts und grinste lediglich – an meiner Antwort hatte er wohl erkannt, dass er mit mir nicht lange um den Preis würde feilschen müssen. Er zeigte mir die verschiedenen

Kategorien der Fahrräder: nagelneu, nahezu nagelneu, nur einmal geklaut, mehrfach geklaut und Fahrradbruchteile. Da die Preissetzung anscheinend nach dem «Angebot-nicht-Fragen-Prinzip» funktionierte, fiel die Entscheidung für ein nur einmal geklautes nicht schwer. Ich glaube, ich befand mich zum ersten Mal im Kaufrausch.

Fortan fühlte ich mich wie ein Drahteselritter ohne Furcht und Tadel. Um dies zu zelebrieren, wollte ich mir ein Eis kaufen. In der Eisdiele bestellte ich «eine Eissahne!» (das war ja nicht schwer, im Englischen heißt es nämlich *ice cream*), doch die Eisverkäuferin entgegnete nur lapidar: «So was haben wir hier nicht.» Ich schaute mir verwundert das ganze Sortiment der Eisvarianten an und dachte mir dabei: Ich verstehe hier offensichtlich schon wieder etwas nicht! Also entschied ich mich für die Stummfilmvariante: Ich deutete mit dem Zeigefinger auf die gewünschte Sorte, dann auf meinen Mund, und legte das Geld auf die Theke. Nachdem ich das Gewünschte endlich bekommen hatte, ging ich mit meinem harterkämpften Eis rückwärts aus dem Laden.

Fest im Sattel meines neuen Drahtesels kam mir der Weg zu meinem kleinen Gemach zum Glück nicht mehr so weit vor – dafür aber umso steiler! Passenderweise hieß die Straße, auf der ich das längste Stück fahren musste, *Nonnenstieg*. Ach du grüne Neune, war dieser Stieg ein steiler Stieg! Dennoch hatte ich das Gefühl, dass ich mit dem Fahrrad Schwein hatte. Aber schon nach einer Woche wurde mein Fahrrad gestohlen. Obwohl es in mancher Hinsicht wie ein Omafahrrad aussah, hatte es auch etwas Tolles: zwei Körbe. Als ich den Rest des kaputten Fahrradschlosses anschaute, schwante mir, dass der Dieb beim Anblick meines Fahrrades bestimmt einfach vom Korbneid überkommen worden war.

Am traurigsten war ich jedoch darüber, dass ich nun nicht mehr wie eine gesengte Sau durch die frische Stadtluft fahren konnte. Stattdessen musste ich meinen inneren Schweinehund überwinden und zu Fuß nach Hause gehen, wo ich meine Karten und restlichen Claras versteckt hatte. Zu Hause angekommen, erzählte ich Frau Wilbärt von meinem Verlust. Ihre Reaktion vermochte meine Stimmung leider nicht zu heben: «Hihhihi! Schon nach fünf Tagen das erste Fahrrad geklaut worden! Neue Rekordzeit für einen Mieter hier im Hause!»

Nachdem sie sich die Tränen aus den Augen gewischt hatte, sah sie, dass ich noch auf eine Erklärung dieses Vorfalls wartete. Diese lieferte sie mir mit Freuden: Erstens werden in Göttingen viele Fahrräder geklaut. Zweitens gibt es beim Abschließen von Fahrrädern einen großen Unterschied zwischen «angekettet» und «abgekettet». Angekettet mit einem edlen Schloss bedeutet: Fahrrad bleibt wohl noch ein bisschen. Abgekettet mit einem Billigschloss hingegen: Fahrrad schnell weg.

Obwohl ich das Fahrrad in den Tagen nicht wieder fand, fand ich mich mit dem Verlust schnell ab. Schließlich bedeutete der Diebstahl auch etwas Positives für mich: eine weitere schöne Gelegenheit für noch mehr Kaufrausch! Außerdem wusste ich, was ich dem Dieb zurufen würde, wenn er an mir vorbeiradelte: Stehen geblieben und runter vom Sattel!

17 Deutsche Sprache, schöne Sprache

Deutsch hat so viele schöne Wörter, dass es einem schwer fällt, eine würdige, repräsentative Auswahl in eine kurze Liste aufzunehmen, aber hier ist ein bescheidener Versuch:

Pipapo Etwas «Pi», etwas «Pa», etwas «Po», und schon hat man alles gesagt.

Luxusweibchen Zwei gute Dinge in einem Wort.

Tiefstaplerin Auch das Gegenteil von einem Luxusweibchen ist etwas Gutes.

Entgegengegangen So viele Gs über die Lippen zu bringen macht einfach Spaß.

Stinktier Bei diesem Wort besteht kein Zweifel, was das Tier tut.

Schadstoffausstoß Das Wort klingt angemessen bedrohlich.

Doppeltgemoppelt Doppelt so schön wie die meisten Wörter.

Augenweide Ein wahrlich wunderschönes Wort.

Brisanz Das starke Gegenteil einer schwachen Brise.

Erlauschen Alles mitbekommen im feinsten Stil.

Tatütata Hört man dieses Wort, dann weiß man, dass in der Nähe etwas brennt.

Eichhörnchen Ein Tier mit so einem Namen muss einfach niedlich sein.

Hirnrissig Wird die Idee noch schlechter, dann wird das Hirn verbrannt.

Aalen   Bei diesem Wort spürt man schon die Sonne auf dem Bauch.

Erquicklich   Angenehm U N D anregend: Was will man mehr?

Tohuwabohu   Schon beim Anblick des Wortes spürt man das Chaos dahinter.

Müßiggänger   Auch wenn man nichts tut, klingt man damit irgendwie aktiv.

Schlaf tanken   Ein Müßiggänger «pennt» nicht, er «tankt Schlaf».

Inständig   Bei diesem Wort hört man fast das Seufzen und das Verlangen.

Lostigern   Sich ans Ziel bewegen mit einem gewissen «Grrrrr».

Machtwort   So viel Power in einem Wort.

Kraftakt   So viel Power in einer Tat.

Überhaupt   … und überhaupt!

Bei so vielen schönen Wörtern im Deutschen nimmt das sprachliche Verlustieren nie ein Ende! So ging es zumindest mir und meinen lieben ausländischen Mitstudierenden im Deutschkurs in Göttingen

—

«Ist das hier etwa eine Universität für Spione?», fragte Juri mit verblüffter Miene. «Ich fasse es nicht, dass fast jeder hier weiß, wo Kaliningrad liegt!» Der Auslöser für diese Aufregung war die Anmerkung von Jérôme aus Paris, dass er noch nie jemanden aus Kaliningrad kennengelernt habe. (Jérôme widerlegte nicht nur das Klischee von den schlecht Fremdsprachen sprechenden Franzosen, sondern auch noch ein viel größeres: Er war nämlich außerordentlich humorvoll.)

Als Erster hatte sich Juri der Klasse vorgestellt. Er komme aus Königsberg und studiere BWL. Seine Hobbys seien Wodka trinken, kaputte Fahrräder reparieren, Gitarre spielen und melancholische Lieder singen. Wir anderen Studenten waren vor allem von seiner Beherrschung der deutschen Umgangssprache schwer beeindruckt, besonders als er sagte, sein Spitzname sei «der Königsberger Klops».

Basierend auf den Ergebnissen der Sprachprüfung waren wir «ausländischen Mitstudenten» in verschiedene Deutschkurse eingestuft worden. Ich fragte mich zunächst, ob ich tatsächlich in denselben Kurs wie Juri gehörte. Konnte es sein, dass in der Einstufung wild gemischt worden war? Ich hatte zwar schon mehrere Deutschkurse hinter mir, aber dieser erste hier in Göttingen war für mich etwas Neues. Es waren Studenten aus der ganzen Welt dabei, sogar viele, die gar kein Englisch verstanden. Aber ganz egal, was die Herkunft war – wir wollten gemeinsam die deutsche Sprache erlernen. Wenn also etwas hier geschlagen werden sollte, dann waren es Brücken.

Die Lehrerin ergriff das Wort: «Nein, Juri, das hier ist keine Universität für Spione. Aber woher können Sie so gut Deutsch?» «Mein Vater war Offizier in der sowjetischen Armee. Einige Jahre lang war er mit seiner Familie in der ehemaligen DDR stationiert, wo er eine ganz gute Stelle hatte. Wir haben sogar schon damals westliches Fernsehen bekommen. Na ja, wie Sie wissen, der Kommunismus war eine schlimme Sache, aber zumindest genossen es die Genossen.»

Nach Juri kam eine Ungarin an die Reihe: «Ich heiße Anna, und ich kann Deutsch nicht gut sprechen.» Die Lehrerin versuchte mehr aus ihr herauszulocken, aber es ging nicht. Nach dem wortgewandten Schlagabtausch zwischen Juri und Jérôme hatte ich bereits angefangen, an meinen Deutschkenntnissen zu zweifeln, aber nach der Vorstellung von Anna ging es mir wieder etwas besser. (In der ersten schriftlichen Prüfung erfuhren wir zu unserer Verblüffung, wie gut die Deutschkenntnisse von Anna tatsächlich waren. Sie bekam mit Abstand von allen die beste Note. Offenbar hatte sie im Kopf reihenweise Sprachregeln, ganze Grammatikwerke und Wahnsinnswortschätze, die sie nur einfach noch nicht über die Lippen bringen konnte.)

Dann kam, was die deutsche Sprache anbelangte, die Anti-Anna: eine Dänin namens Anke. Im Gegensatz zur einsilbigen Ungarin konnte sie ohne Punkt und Komma reden und beeindruckte uns damit mächtig – zumindest bis wir nach und nach merkten, dass dabei so einiges nicht ganz stimmte. Während einer Pause einige Wochen später sagte Jérôme zu mir, dass er einige ihrer Aussagen nachgeschlagen und dabei festgestellt habe, dass vieles, was sie sagt, so im Deutschen überhaupt nicht gesagt werden kann. Sie übersetze einfach Redewendungen direkt aus dem Dänischen ins Deutsche, was kaum auffällt, da Dänisch dem Deutschen so ähnlich sei. Die Dänin sei also nicht nur eine Quasselstrippe, sondern obendrein auch noch eine Quatschstrippe!

In dem Kurs waren auch drei Studenten aus Polen. Der eine war ein «Kavalier der alten Schule», der immer eine passende höfliche Phrase in etlichen Sprachen parat hatte; die beiden anderen waren das totale Gegenteil: Sie sahen aus, als ob sie mir zuerst mein Fahrrad klauen wollten, damit sie es mir anschließend wieder verkaufen könnten.

Als Letzte kam die Holländerin Nanda zu Wort, und zwar zu einem vollkommen akzentfreien! Sie sprach so gut Deutsch, dass sie nahezu als Muttersprachlerin durchging. Sogar Deutsche versuchten vergeblich einzuordnen, wo sie herkam, die meisten tippten auf Niedersachsen. Jérôme flüsterte mir ins Ohr: «Neid!», und ich zurück: «Nerv!»

Auch wenn sie keine Oberlehrerin war, benahm sich unsere Deutschlehrerin, Frau Tamchina, ziemlich oberlehrerhaft. Die Stelle war perfekt für sie, da sie es liebte, lange zu reden und laut zu philosophieren. Gegen sie kamen wir Ausländer sprachlich gar nicht an. Bis wir eine Antwort formuliert hatten, war sie schon bei der nächsten frechen Anmerkung. Als Jérôme zum Beispiel sagte, dass er aus Paris komme, erkannte sie sofort eine Chance und rief herausfordernd: «Ach so! Sie behaupten, Paris ist gleich Frankreich!» Jérôme wollte dann natürlich erklären, dass dies einfach eine effiziente Antwort sei, da ja schließlich jeder wisse, wo Paris liegt, aber so weit kam er gar nicht. Stattdessen hielt die Lehrerin einen Vortrag über die eigenartigen Eigenschaften der Pariser, bevor sie triumphierend zum Abschluss feststellte: «So sind also die Pariser!»

Zugegebenermaßen war es aber auch ihre Aufgabe, uns aus der Reserve zu locken. Eines Tages erklärte sie, dass gelegentlich in Deutschland ein Wettbewerb zur Wahl des schönsten deutschen Wortes stattfindet. Sie wollte wissen, welche deutschen Wörter wir besonders schön fänden, und das natürlich auch noch mit einer passenden Begründung. Für uns war das ein Kinderspiel, da es so viele schöne Wörter gibt, wie die Liste am Anfang dieses Kapitels zeigt. An dieser Übung hatte Frau Tamchina auch deshalb besonders viel Freude, da sie an der Begründung sehen konnte, ob die Studenten die Wörter tatsächlich verstanden.

Hier aufgelistet sind einige ihrer Lieblingswörter, die sie uns vorlas, mit den entsprechenden neuen Bedeutungen:

Sterbetafel Der Arbeitstisch eines Henkers.
Entpuppen Einem Mann seine hübsche Freundin klauen.
Docht Die Steigerung von doch.
Banausenhaft Wo besonders doofe Verbrecher inhaftiert werden.

Verdünnisieren   Was bei einer Schlankheitskur gemacht wird.

Puzzle   Eine kleine Putzfrau im Schwabenland.

Hexenwerk   Ein Ort, wo man Hexen baut.

Halbleiter   Das deutsche Wort für *Assistent Manager*.

Freudenreich   Der Nachbarstaat vom Schlaraffenland.

Mortadella   Sehr toter Käse.

Obmann   Ein Mann, der unschlüssig ist.

Uropa   Das alte Europa.

Verlustieren   Das Gegenteil von gewinnen.

In unserem Kurs lief es nicht anders. Der eine «Fahrradklauer» aus Polen wählte das Wort «Meerbusen» – zumindest bis ihm erklärt wurde, dass dies kein Synonym für «viel Holz vor der Hütte» war, sondern eines für Golf, und zwar nicht für das Golf, das man spielt, oder den Golf, den man fährt. Dann entschied er sich für «Zöllehölle», was seine Bezeichnung für den Grenzübergang zwischen Polen und Deutschland war.

Der andere Fahrradklauer erklärte, dass er im Deutschen kein Lieblingswort habe, dafür gebe es aber viele Wörter, die ihn nervten, am meisten das Wort «Auspuff». Diese Aussage machte Frau Tamchina nur noch neugieriger: «Aber was ist an dem Wort ‹Auspuff› so schlimm?» Er erklärte es ihr: «Na ja, wissen Sie, immer wenn es anfängt, im Puff wirklich spaßig zu werden, dann sagen mir die russischen Prostituierten: ‹Du nichts gut! Aus Puff!›» Schon fast am Ende mit ihren Kräften fragte sie ihn, ob er nicht einmal eine Lieblingsredewendung hätte. Nachdem er fast eine Minute überlegt hatte, sagte er: «Na ja, wenn schon, dann ist es ‹sich in die Brust werfen›.» Zum ersten Mal war die gute Lehrerin sprachlos. Auch wenn der Pole für seine Beiträge keinen Auszeichnungsstern bekam, so war es doch für den Kurs eindeutig eine Sternstunde.

Die bei weitem schlechtesten Deutschkenntnisse in unserem

Kurs hatten zwei Amerikanerinnen. Sogar viele einfache Vokabeln kannten sie nicht, und oftmals sprachen sie die anderen einfach auf Englisch an. Da Juri kein Wort Englisch konnte, kam diese Verfahrensweise bei ihm gar nicht gut an. Einmal entfuhr ihm ein genervtes «Meine Fresse!», worauf die eine Amerikanerin zur anderen sagte: «Das Wort ‹fressen› kenne ich; das habe ich schon mal in einer Toilettenkabine gelesen!»

Die Amerikaner an der Universität konnte man in zwei Gruppen einteilen: Da waren zum einen diejenigen in meinem Alter – Mitte zwanzig –, die schon ihr Studium in den USA abgeschlossen hatten und nun für ein Aufbaustudium hier waren. Viele von ihnen hatten schon gearbeitet und freuten sich über die Gelegenheit, eine Fremdsprache und eine neue Kultur kennenzulernen. Wir waren einfach von den vielen Freiheiten beschwipst. Zum anderen gab es die ungefähr Zwanzigjährigen, die sich freuten, so weit weg von den Eltern zu sein. Beschwipst waren sie sogar noch häufiger als wir Älteren, aber aus anderen Gründen, unter anderem weil man in Deutschland Bier in der Öffentlichkeit trinken durfte. Einige von ihnen hatten diesen Studienort sogar in erster Linie ausgewählt, da sie gehört hatten, dass das weltberühmte deutsche Bier billiger als Wasser sei. Als sie dann feststellten, wie teuer das Wasser in Deutschland ist, waren sie natürlich dementsprechend enttäuscht...

Bis auf den einen Fahrradklauer aus Polen waren wir uns alle einig, was für uns das Unwort der deutschen Sprache ist: Schlager. Während des Semesters versuchten die meisten Ausländer sich mehr oder weniger an die deutsche Gesellschaft anzupassen. Doch es gab immer wieder Situationen, die uns vor Augen führten, dass wir bestimmte deutsche Eigenheiten nie verstehen würden. Zum Beispiel den sogenannten Schlageranfall. Auf den Studentenpartys tanzten wir alle zu den gleichen Liedern wie zu Hause. Doch dann konnte man mit einem Schlag erkennen, wer von den Anwesenden deutsch war, denn die einheimischen Studenten tanzten begeistert weiter, während alle Ausländer fluchtartig die Tanzfläche verließen – erschlagen von einem Schlager. Diese mögen unter Deutschen sehr beliebt sein, aber für uns waren sie stets ein eindeutiges Zeichen, uns entweder schnell starken Alkohol «reinzuhauen» oder abzuhauen.

In Deutschland benutzt man das englische Wort *hit* (zu Deutsch «Volltreffer»), um ein erfolgreiches Lied zu bezeichnen. Das Wort Schlager hingegen scheint von «Schläger» zu kommen. Nach einem besonders schmerzhaften Schlager sagte Anke, die Dänin, einmal entsetzt: «Ich habe jetzt Schlager fertig!» Im Laufe des Semesters haben wir jedoch einige wenige Schlager gefunden, die nicht ganz so schlimm waren, zum Beispiel das Lied *Moskau* von Dschingis Khan. Nur Juri, der Russe, konnte sich mit dem Lied gar nicht anfreunden. «Russland ist zwar ein schönes Land, hahahahaha, heh, aber wir schmeißen die Gläser nicht an die Wand. Nicht einmal die Spione.»

18 Das Rechtschreiben mit links geschafft

In einem meiner Grammatikbücher stand Folgendes über die deutsche Rechtschreibung: «Die Orthographie im Deutschen ist nicht lautgetreu (wie z. B. die finnische oder die türkische), sondern nur lautfundiert und bezieht Satzstruktur (Interpunktion), Silbenstruktur (Markierung der Kurzvokale), Wortart (Großschreibung des Substantivs) sowie die Einheit der Wortstämme (da es ‹Weges› heißt, heißt es auch ‹Weg› statt ‹Wek›) mit ein.»

Dennoch bekommt der Deutschlernende auf seine Frage «Wie wird das geschrieben?» oft die Antwort: «Wie man es spricht.» Da Deutsch aber nur lautfundiert ist, bringt einen diese Antwort leider häufig nicht viel weiter, zum Beispiel bei «Rothenburg» und «Rohtenburg», die trotz unterschiedlicher Schreibweisen genau gleich ausgesprochen werden. Ähnlich geht es einem, wenn man wissen will, ob es sich um ein «Feilchen», «Veilchen» oder «Pfeilchen» handelt (Letzteres allerdings nur in Norddeutschland). Oder aber man ist ratlos, ob jemand nun «sehkrank» (er kann nicht richtig schauen), «säkrank» (er hat die Schnauze voll vom Säen und will endlich ernten) oder «seekrank» ist (wenn er nicht mehr kann – oder war das wenn er nicht «Meer» kann?). Beim Kennenlernen einer norddeutschen Frau kam ich auch ins Grübeln, als sie sich mir wie folgt vorstellte: «Mein Nachname ist Pfau, geschrieben ohne V.» Ich dachte zuerst, sie sei die Frau ohne Nachnamen, so wie Madonna oder Cher.

Um einiges zu «verbessern», gab es am Ende des 20. Jahrhunderts die sogenannte «neue deutsche Rechtschreibreform». Bei der Neuregelung sollte es sich jedoch nicht um eine «Reform an Haupt und Gliedern», sondern um eine «kleine Reform der Vernunft» handeln. Im Juli 1996 verpflichteten sich die deutschen Bundesländer, Österreich, die Schweiz und Liechtenstein, durch die «Wiener Absichtserklärung zur Neuregelung der deutschen Rechtschreibung» die neue Orthographie einzuführen (irgendwann im 21. Jahrhundert …).

———

Als ich mich im September 1996 ins Flugzeug setzte, um mit meinem Studium in Göttingen anzufangen, ahnte ich nicht, dass ich mich auf dem Weg in einen sprachlichen Feuersturm begab. Da ich zu der Zeit Deutsch erst seit knapp drei Jahren lernte, betrachtete ich den heftigen Streit relativ leidenschaftslos. Für mich waren die wichtigen Fragen:

► Darf das nette ß bleiben?
► Wird es neue Umlauts geben?
► Wird endlich geklärt, ob es Albtraum oder Alptraum heißt?
► Wenn es «die neue deutsche Rechtschreibreform» heißt, wann war die alte, und wie lief sie?

Also ging ich im Laufe des Semesters in die Göttinger Universitätsbibliothek, um mich schlau zu machen. Dort erfuhr ich Folgendes: 1876 wurde von der preußischen Regierung eine Konferenz zur Herstellung größerer Einheit in der deutschen Rechtschreibung nach Berlin einberufen. (Ich fand es bemerkenswert, dass man dies fünf Jahre nach der deutschen Einheit machte, genau wie man die neue Rechtschreibreform fünf Jahre nach der Wiedervereinigung einführte.) Auf dem Kongress war eine starke Zweiteilung der Interessen erkennbar. Die Majorität plädierte für die Durchsetzung des phonetischen Prinzips zur Vereinfachung der Schreibung, während eine Minderheit sich strikt gegen weitgehende Änderungen aussprach. Obwohl dieser Konflikt nicht gelöst werden konnte, erfolgte die Veröffentlichung der offiziellen bayrischen und preußischen Regelbücher 1879 und 1880, die dann mit geringen Veränderungen auch im übrigen Deutschland angenommen wurden.

Es wurden dabei mehrere wichtige Änderungen eingeführt:

▶ Verben, die auf «-iren» endeten, sollten mit «ie» geschrieben werden, also nichts mehr mit «stolziren», «inspiziren» oder «probiren».

▶ Das «th» im Auslaut und in den Endungen «thum» und «thüm» sollte ganz wegfallen und nur im Anlaut vor einfachen Vokalen stehen bleiben, also Glut, Not, Mut, Atem, Altertum, Ungetüm und Teil verteidigen; aber wie bisher That, Thor, Unterthan und Thür bewahren. (Offenbar war man nicht «muthig» genug, diese Reform konsequent durchzusetzen.)

▶ Die Vokalverdoppelung in Wörtern wie «Waare» und «Schaar» sollte beseitigt werden, aber in «scheel», «Paar» etc. bleiben. (Somit hat man nicht mehr «Wahre» und «Waare», sondern «Wahre» und «Ware»: also keine wahre Verbesserung.)

▶ Die Endung «niß», z. B. in «Gleichniß», sollte durchgehend «nis» geschrieben werden. (Da das «i» hier kurz ist, wäre «Gleichniss» eigentlich logischer gewesen.)

▶ Pluralformen von Wörtern, die auf «ie» enden wie «Theorie» und «Sympathie» sollten wieder allgemein mit doppeltem e geschrieben werden, also «Theorieen» und «Sympathieen». (Finde ich auch logischer.)

▶ Die Lautverbindung «schst» sollte ganz vermieden werden, wahrscheinlich weil man ein Wort wie «wäschst» kaum wie geschrieben aussprechen kann. (Aber dies hat niemanden beim Wort «Szene» gestört.)

► An einem Punkt wich die neue bayrische Rechtschreibung von der norddeutschen ab, da sie «z» für «c» in weiterem Umfang einführte. (Also blieb Berlin im Centrum des Landes.)

Folgende Vorschläge konnten NICHT umgesetzt werden:
► Die Beseitigung schwankender Einzelwortschreibungen, wie etwa «todt» und «tot» oder «giebt» und «gibt». (Ich möchte wissen, wer das Wort «giebt» verteidigen wollte.)
► Die Umstellung von «c» zu «k», beispielsweise in «Casse», «Classe», «Conferenz» und «Insect». (Diese Änderung kam offenbar kurz danach.)
► Die Regelung der «s-Schreibung» nach Heyse, das heißt «ss» nach Kurzvokal und «ß» nach Langvokal bzw. Diphthong. (Diese Änderung musste über ein Jahrhundert auf sich warten lassen.)
► Die Trennbarkeit von «pf», «st», und «tz» am Zeilenende (z. B. «Wes-te» und «Wes-pe»). (Diese Änderung kam offenbar auch kurz danach.)

Die Einführung der neuen Orthographie sorgte in der Bevölkerung für großes Aufsehen und führte zu einem öffentlichen Streit. Sogar der deutsche Reichstag und Fürst Bismarck beteiligten sich an der Opposition, Letzterer durch einen Erlass vom 28. Februar 1880, in dem er die Beamten seines Ressorts «bei gesteigerten Ordnungs-strafen» aufforderte, nicht von der hergebrachten Orthographie ab-zugehen. Trotzdem setzte sich die «Putkamersche Orthographie» schließlich durch. Großen Anteil daran hatte das von Konrad Duden 1880 verfasste *Vollständige Orthographische Wörterbuch der deutschen Sprache*, welches sich nach der preußischen Schulortho-graphie richtete. Das populäre Werk und die sich allmählich ver-einheitlichenden Schulorthographien trugen dazu bei, Druck auf die amtlichen Institutionen auszuüben, auch ihre Schreibweisen anzupassen. Im Juni 1901 wurden dann 26 Vertreter der Länder zur Zweiten Orthographischen Konferenz nach Berlin eingeladen, um die deutsche Orthographie auf der Grundlage des preußischen Regelbuchs zu kodifizieren.

Für mich wurde dieses Thema etwas persönlicher, als ich in Göttingen ein kleines Päckchen von meinem Vater erhielt. Es war ein uraltes Deutschgrammatikbuch, das er beim Aufräumen des Dachbodens gefunden hatte. Der Titel lautete *Deutsch-englische Lesebücher für katholische Schulen* (Copyright 1910 von den Benziger Brothers, Cincinnati, Ohio), und auf der erste Innenseite stand der Name meiner Oma: Frances Bruns. Obwohl sie in der vierten Generation nach der Einwanderung aus Deutschland war, sprach sie als Kind Plattdeutsch zu Hause und musste in der Schule sowohl Englisch als auch Hochdeutsch lernen.

In dem Vorwort des Buches wurden die wesentlichen Änderungen der damaligen «neuen deutschen Rechtschreibung» in sechs Punkten zusammengefasst.

1.) «Das TH wird meistens nur noch in Fremdwörtern und Namen gebraucht.»
Ich glaube, dass heute sogar die erbittertsten Gegner der neuen deutschen Rechtschreibung keine Thräne vergießen, dass es nicht mehr «Thon», «Thor», «That» und «Thür» heißt. Auch wenn die deutsche Zunge keine Unterscheidung zwischen dem T- und dem TH-Laut macht (dass sie das kaum vermag, zeigen die vergeblichen Versuche vieler Deutscher, das englische TH über die Zunge zu bringen), wollte man offenbar die Fremdwörter nicht ändern, sodass das Buch meiner Oma nicht für «katolische Schulen» geschrieben wurde. (Vielleicht hätten die Traditionalisten darüber zu viel Teater gemacht?)

2.) «Das PH wird nur noch in Fremdwörtern und Namen gebraucht.»

Es sei denn, das Fremdwort wirkt inzwischen nicht mehr so fremd, denn sonst hätte man im Deutschen «Elephant» und «Telephone».

3.) «Fast alle Wörter, welche früher C mit K-Laut hatten, werden jetzt mit K geschrieben; solche, die C mit Z-Laut hatten, werden mit Z geschrieben.»
Es wurde höchste Zeit! Im Englischen verursacht der Buchstabe C nach wie vor allerlei Unsinn.

4.) «Statt AE, OE und UE schreibt man einfach Ä, Ö und Ü; eine Ausnahme sind Namen.»
Dies ist meine persönliche Lieblingsänderung der ersten deutschen Rechtschreibreform, denn somit wurde die Vormachtstellung der niedlichen Pünktchen weiter untermauert! Außerdem wusste ich endlich, wieso man Deutsch im Goethe-Institut lernt und nicht im Göthe-Institut. (Damals ahnte man noch nicht, was für Probleme die Umlaute bei E-Mail-Adressen verursachen würden.)

5.) «Trennbarkeit von PF, TZ und DT, aber nicht ST.»
Im Gegensatz zu den meisten Teilnehmern der Kongresse bin ich hier nach wie vor leidenschaftslos.

6.) «Empfehlung in Zweifelsfällen der Groß- oder Kleinschreibung, die Kleinschreibung vorzuziehen.»
Dieses Thema wurde bei der neuen Rechtschreibreform teilweise rückgängig gemacht.

Auch wenn die Diskussionen über die deutsche Rechtschreibung auf Rechtschreibreformkongressen und in Deutschkursen manchmal etwas überhitzt werden, muss jeder zugeben, dass sich die

Ungereimtheiten im Deutschen deutlich in Grenzen halten. Mit der Rechtschreibung im Englischen hingegen kommt fast keiner zurecht. Während das Deutsche lautfundiert ist, ist das Englische leider chaosfundiert.

Dieses Durcheinander im Englischen ist im Wesentlichen darauf zurückzuführen, dass die englische Sprache auf zu viele Quellen zurückzuführen ist. Unter den verschiedenen germanischen Stämmen des frühen Mittelalters auf der Britischen Insel gab es schon genügend Probleme mit dem Rechtschreiben, aber als die Franzosen im Jahre 1066 unter Wilhelm dem Eroberer dazustießen, wurde es noch schlimmer. Jahrhundertelang existierten im Lande zwei Sprachen nebeneinander, was beide Sprachen dort durcheinanderbrachte. Außerdem hat es im Englischen nie ein Sprachkomitee wie in Frankreich oder Spanien gegeben.

Das alles konnte aber nicht die weltweite Verbreitung der englischen Sprache verhindern, mit dem Ergebnis, dass Englisch die Hauptsprache vieler Länder ist. Nicht wenige Deutsche haben ihren Spaß daran, mich zu informieren, dass ich kein Englisch spreche – sondern «nur» Amerikanisch. Diesen Scherz auf meine Kosten finde ich weniger köstlich. Offenbar hat man sich im deutschen Sprachgebrauch entschieden, die englische Sprache in mehrere Sprachen aufzuteilen – nur finden wir Amerikaner dies in etwa genauso witzig wie Österreicher, wenn ihnen gesagt wird, dass sie nicht Deutsch, sondern «Österreichisch» sprechen. Oder Mexikaner, wenn man denen sagt, sie sprechen nur «Mexikanisch». Nicht sehr witzig. Diese komische Teilung kann man sogar schwarz auf weiß sehen. In Büchern steht dann «übersetzt aus dem Amerikanischen» und nicht «übersetzt aus dem amerikanischen Englisch». Ich bin dagegen. Ich warte nur noch darauf, irgendwann mal ein Buch zu finden, in dem steht «übersetzt aus dem Ohioschen».

In Deutschland kenne ich viele Osteuropäer, die Deutsch als

erste Fremdsprache lernten. Obwohl Deutsch mehr Deklinationen, Beugungen und Konjunktionen als Englisch hat, gibt es im Deutschen doch weniger Ausnahmen. Wie eine deutschsprechende Freundin von mir aus Sibirien zu sagen pflegt: «Englisch treibt mich in den Wahnsinn. Die Rechtschreibung ist eine einzige Quälerei!» Wenn eine Person aus Sibirien so etwas sagt, dann heißt das wohl etwas. (Mein Lieblingsbeispiel für einen ihrer Fehler ist, dass sie das Wort «E-Mail» wie folgt schrieb: «I-Mehl».) Nichtsdestotrotz gibt sie nicht so leicht auf, und immer wenn das Thema «Englisch» aufkommt, zieht sie zuerst eine Miene und zählt dann sehr stolz auf Englisch bis zwanzig. Am Ende sieht sie dabei so erleichtert aus, dass ich mich nie dazu durchringen kann, ihr zu sagen, dass sie wieder die 13 vergessen hat.

Ich finde es schon ironisch, dass die heutzutage am weitesten verbreitete Sprache eine etwas chaotische ist – zumindest was die Schreibweise angeht. Wie ein Mitglied der glanzvollen «Real Academia Española» es formulierte: «Spanisch ist Ordnung. Englisch ist Unordnung.» Zum Beispiel werden die beiden folgenden Sätze, auch wenn es ihnen auf den ersten Blick kaum anzusehen ist, im Englischen genau gleich ausgesprochen: *I won two ewes.* Und: *Aye! One to use!* (Ich gewann zwei Mutterschafe. Und: Ja, eines zum Verwenden!)

Aus diesem Grund hat man in den USA auch etwas, was im deutschsprachigen Raum gänzlich unbekannt ist: Buchstabierwettbewerbe. Diese heißen *Spelling Bees* («buchstabierende Bienen» – fragen Sie mich bitte nicht wieso) und werden jedes Jahr in den Schulen durchgeführt. Die jeweiligen Sieger kommen immer weiter, bis sie nach einigen Runden in der Endrunde in der Landeshauptstadt stehen. Zufälligerweise waren die letzten Wörter, die sowohl die Siegerin als auch die Zweitbeste im 2006 Scripps National Spelling Bee zu buchstabieren hatten, deutschen Ursprungs! Da die Teenagerin Katharine Close aus New Jersey wusste, wie man *Ursprache* schreibt, bekam sie den mit 42 000 Dollar dotierten ersten Preis. Da die Zweitbeste nicht wusste, wie man *Weltschmerz* schreibt (sie fing mit einem V an), bekam sie für ihre Fleißarbeit etwas weniger Geld. Natürlich waren auch viele andere Fremdwörter dabei, aber bei diesem Wettbewerb waren die Wörter deutschen Ursprungs besonders stark vertreten: *Heiligenschein* (nicht geschafft), *Wehrmacht, Bildungsroman, Appenzell* (nicht geschafft), *Ersatz, Langläufer, Schloss, echt, Lebensraum* und *Edelweiß* (nicht geschafft).

Gegen Ende des Semesters mussten wir in Frau Tamchinas Deutschkurs einen Vortrag über irgendein sprachliches Thema halten. Ich entschied mich, einen Vortrag über die deutschen Rechtschreibreformen zu halten, mit dem uralten Deutschgrammatikbuch meiner Oma als Beweismittel. Nach meinem Vortrag waren wir Ausländer im Kurs uns einig, dass wir eine deutsche Rechtschreibreform viel besser durchführen könnten als die Deutschen, da wir die Sprache sachlicher und objektiver betrachten können. Außerdem kannten wir die Regeln und deren Ausnahmen beim Namen! Nur Frau Tamchina wirkte von dieser Argumentation wenig überzeugt. Besonders als ihr Blick die zwei Fahrradklauer aus Polen streifte.

19   Von Ami bis Zoni

Es wundert mich nicht, dass Deutsche sehr bereitwillig die folgenden Wörter aus der englischen Sprache übernommen haben: Hippie, Party, Hobby, easy, Handy, Rowdy, happy, Lady, Teenie, Pony, Dandy, Lobby, Junkie. Denn auch wenn die deutsche Sprache weltweit für ihre trockenen und ernsthaften Wörter bekannt ist (siehe Weltschmerz), benutzen Deutsche sehr gerne Verniedlichungen. So erfährt der Deutschlernende früh, dass man im Deutschen als Verniedlichungsform das «-chen» und das «-lein» hat. Was er allerdings erst mit der Zeit lernt, ist, dass die Deutschen genauso sehr von der Endung «-i» angetan sind. Dies war bei der Fußballweltmeisterschaft im Sommer 2006 besonders auffällig, als man täglich darüber lesen konnte, wie Schumi und Angie gespannt zugeschaut haben, als Klinsi, Schweini und Poldi auf dem Rasen Fußi gespielt haben. Sogar vor ernsthaften Themen macht die Verniedlichung nicht halt, wie ein Deutschlernender verstört feststellen muss, wenn er seinen ersten Krimi liest über einen Chauvi und eine Tussi unter Stasi-Promis und Neonazi-Asis.

Am Anfang meiner Zeit in Deutschland war ich – wie sich herausstellte, nicht zu Unrecht – nicht sicher, ob ich als «Ami» bezeichnet werden wollte. Eigentlich klingt es harmlos und erinnert mich an das englische Wort *amiable* (liebenswürdig). Darüber hinaus bedeutet es auf Französisch sogar «Freund». Aber irgendwie kann Ami auf Dauer auch etwas nervig sein. Und wie ich nach einer Weile begriff, wird das Wort doch allzu häufig abwertend verwendet, wie in «Amis haut ab!» oder: «Der Ami hat ohnehin keine Ahnung.» Und offenbar haben auch nur wir Amerikaner so eine Verniedlichung erhalten, denn ich habe noch nie von Russis, Frankis oder Brittis gehört.

Ich will ja bestimmt kein «Trotzki» sein, aber wenn im Gespräch jemand immer wieder «Amis dies» und «Amis jenes» sagt, kann ich es mir manchmal nicht verkneifen zu sagen: «Ich habe ja nichts grundsätzlich dagegen, wenn ihr Deutschis das Wort ‹Ami› benutzt, aber es wäre vielleicht besser, wenn die Deutschis es nicht so übertreiben würden.» Ah, so macht man sich in Deutschland beliebt.

Deutsche denken sich offenbar einfach nichts dabei, wenn sie Ami sagen, aber es käme ihnen nicht in den Sinn, mit einem Polen so umzugehen. Nur ein hemmungsloser schwedischer Student wagte es, den einen polnischen Fahrradklauer direkt mit «Na, Polski?» anzusprechen – das hätte sich kein Einheimischer getraut.

——

In Göttingen habe ich zwar einige Kurse besucht, mein Hauptfach war aber «Alltagsdeutsch mit Schwerpunkt Kneipendeutsch», Nebenfächer «Faulenzen», «Sightseeing» und «tourimäßiges Verhalten». Nach zweieinhalb Jahren Arbeit in Chicago mit viel Stress und wenig Urlaub wusste ich meine neuen Freiheiten zu schätzen. Mein neues Motto war also: «In der Ruhe liegt der David.» Dank dieser entspannten Lage war ich an den Wochenenden fast immer unterwegs. In der Bahn konnte ich nicht nur die blühenden Landschaften bewundern, sondern auch meine blühenden Vokabellisten – eine unschlagbare Kombination, wie ich fand.

An einem Wochenende im Oktober fuhr ich nach Düsseldorf, um Nicole (die ich Monate zuvor in einer Bibliothek in Chicago kennengelernt hatte, die aber mittlerweile wieder zurück in Deutschland war) und ihre Familie zu besuchen. Ihre Mutter war etwas nervös, mich kennenzulernen, da sie kein Englisch konnte und noch nie in den USA gewesen war. Sie ging davon aus, dass ich als Amerikaner wohl wenig Deutsch sprechen würde, und ich merkte bei meiner Ankunft, dass gegenteilige Informationen nicht von ihr verarbeitet werden konnten. Die Folge: einfache Gespräche.

Nachdem Nicole uns einander vorgestellt hatte, deutete die Mutter auf ihren Bauch (und die Ketchup-Flasche, die sie am Tag zuvor meinetwegen gekauft hatte) und fragte mich: «David, hast du ... Hunger?» Im Zug hatte ich viel Beamtendeutsch gepaukt; meine Antwort war daher der auswendig gelernte Satz: «Ich bedanke mich recht herzlich für die rücksichtsvolle Erkundigung Ihrerseits, aber im Zug von Hamburg nach Düsseldorf kam ich in den Genuss einer deftigen und reichhaltigen Mahlzeit.» Diese Antwort kam anscheinend dennoch an wie: «Nein, ich nicht Hunger haben», denn es ging ähnlich weiter mit einer Flasche Cola zum Thema Durst und einem Comicbuch zum Thema Lesen. Mit einem Kopfkissen in der Hand fragte sie abends: «David, bist du ... müde?» Dabei machte sie schnarchähnliche Geräusche. Ich musste zugeben, dass ich langsam Probleme hatte, nicht zu gähnen. Zum Glück war Nicole da zum Dolmetschen!

Ich konnte mir schon vorstellen, dass sie etwas ratlos war, denn ich werde es selbst nie vergessen, wie ich zum ersten Mal einen Menschen kennenlernte, der meine Muttersprache nicht beherrschte. In meinem Teil der USA kam dies nicht allzu oft vor. Ich war 15 Jahre alt, und meine Mutter nahm mich zu einem mexikanischen Volkstanzauftritt mit. Nach den ersten Tänzen beschlossen wir, ein Programmheft zu kaufen, da wir wirklich gar nichts verstanden. An der Verkaufstheke fragte ich den jungen Mexikaner, wie viel ein Programm kostet. Seine Antwort: «Five Dollars.» So weit, so gut, aber dann fragte ich, ob er einen Zwanziger wechseln könnte. Seine Antwort: «Five Dollars.» Leicht irritiert fragte ich ihn besonders freundlich, seit wann er denn schon in den USA wohne. Und wieder: «Five Dollars.» Neben ihm hinter der Theke stand seine hübsche Schwester. Obwohl die Versuchung groß war, konnte ich knapp widerstehen ...

Im November besuchte ich die Eltern von Anja im Ostharz. Auch sie waren sehr gastfreundlich und zeigten mir allerlei Sehenswürdigkeiten der Gegend. Unvergesslich ist für mich der Besuch des Panoramamuseums im nordthüringischen Bad Frankenhausen, denn dort gab es ein mehr als 1700 Quadratmeter großes Monumentalbild von Werner Tübke zur frühbürgerlichen Revolution in Deutschland. Vor dem Eingang standen sieben Fahnenstangen, aber nur an einer einzigen flatterte eine deutsche Fahne. Als ich fragte, wieso die anderen sechs ungenutzt dastanden, erwiderte die Mutter, dass es Warschau noch gäbe, dafür aber den Warschauer Pakt nicht mehr. Und dann sagte sie etwas vom Ende der Fahnenstange, aber nicht vom Ende der Fahnenstangen, was ich nicht so richtig verstand.

Die Führung durch das Museum wurde auf Deutsch gehalten, was bedeutete, dass ich ziemlich beschäftigt war, alles zu verstehen und trotzdem unauffällig zu bleiben. Diese Bemühungen wurden augenblicklich zunichte gemacht, als Anjas Mutter plötzlich zur Museumsführerin sagte: «Könnten Sie bitte etwas langsamer sprechen? Wir haben einen Gast aus den U!S!A!» Ich war erstaunt, mit wie viel Kraft man drei Buchstaben betonen konnte. Alle Augen richteten sich auf mich, während ich vergeblich nach einem Versteck suchte. Resolut und unbarmherzig fuhr die Mutter fort: «Unser Freund aus den U!S!A! spricht zwar Deutsch, aber er versteht nicht alles, wenn es zu schnell geht. Er kommt aus den weit entfernten U!S!A!, und es wäre schade, wenn unser Freund aus den U!S!A! wichtige Details verpasst, nur weil er aus den U!S!A! kommt.» Ich konnte aus den Blicken der anderen Museumsbesucher nicht ersehen, ob sie neidisch waren oder doch lieber wieder die Mauer aufbauen wollten. Offensichtlich war jedoch, dass man in dieser Gegend selten Besuch aus einem der neuen «befreunde-ten Staaten» bekam.

In einem Souvenirladen in Chemnitz wurde ich dann noch einmal daran erinnert, dass ich in den neuen Bundesländern durchaus einen gewissen Sonderstatus genoss. Ohne Hintergedanken fragte ich die hübsche Verkäuferin, wie das Räuchermännchen rauchen konnte, ohne in Flammen aufzugehen. «Woher kommen Sie?», erkundigte sie sich. Irritiert erwiderte ich leise: «Ich komme aus den u. s. a., aber woher kommt der Rauch?» Sie strahlte mich an: «Seit wann sind Sie in Chemnitz?» Langsam wurde mir klar, dass nicht ich derjenige war, der Fragen zu stellen hatte: «Ich bin seit gestern hier.» Voller Begeisterung sagte sie: «Und Sie können schon so viel Deutsch!» Ihre Begeisterung traf mich ebenso unerwartet wie ihre nächste Frage: «Haben Sie eine Freundin?» Im Nachhinein ging mir auf, dass ich wohl nicht unbedingt fünf Räuchermännchen hätte kaufen sollen. Dafür war der Kassenbon aber mit Autogramm und Telefonnummer der Verkäuferin versehen. Am Abend trafen wir uns in einer Kneipe, wo sie mir erklärte, wie viele Gemeinsamkeiten wir hatten: «Du bist ein Ami und ich bin eine Zoni!» Plötzlich fand ich das Wort «Ami» doch etwas sympathisch.

Unterwegs im Zug sah ich dann allerlei witzige Ortsnamen, wie Dämligen, Oberhäslich, Verbummlingen, Wladirostock, Dummsdorf und Betudlingen – obwohl ich gestehen muss, dass ich mir im Nachhinein nicht mehr ganz sicher bin, ob sie alle wirklich so hießen. Schließlich hatte ich gerade erfahren, dass man in Zügen in Deutschland Elefantenbier aus Riesendosen trinken darf! (In den USA dürfte man in so einem Zug nicht einmal eine kleine Dose der schwachen Biersorte trinken.) Bei vielen meiner unbekannten männlichen Reisegefährten schien sich diese Art des Bierkonsums einer hohen Beliebtheit zu erfreuen, und ich machte aus Solidaritätsgründen kräftig mit …

Als ich zu jener Zeit einmal irritiert vor dem Fahrkartenautomaten in einem verschlafenen Bahnhof unweit von Göttingen stand, konnte ich nicht anders, als mir die Frage zu stellen: «Wieso muss der Anfang einer ‹einfachen› Fahrt so kompliziert sein?» Unter den Anweisungen konnte ich nirgendwo eine Beschreibung finden, wie man ein Ticket kauft. Es wurde mir nur erklärt, wie man ein Ticket *lösen* kann. (Diese Vorstellung fand ich ätzend.) Allein konnte ich dieses Rätsel nicht lösen, erst als der Schaffner vorbeikam, *schaffte* ich es – daher wohl sein Name.

Ab und zu frönte ich meinem tourimäßigen Dasein auch gemeinsam mit meinen ausländischen Kommilitonen. Da wir von der Vorliebe der Deutschen für Verniedlichungen wussten, nannten wir uns die «Ausis» (nicht zu verwechseln mit «Aussies», die aus Australien kommen). Und dank des Schönen-Wochenend-Tickets (von uns auch «Schwoti» genannt) waren wir Ausländer fast überall.

Damals kostete das Schwoti gerade mal 35 Mark für fünf Leute – und damit hatten wir dann ein ganzes Wochenende freie Bahn! In den Deutschstunden bildeten wir Reisegruppen, um zu gewährleisten, dass wir die volle Kapazität des Schwoti ausschöpften. Es war nie besonders schwierig zu entscheiden, wo wir hinfahren wollten, da es so viele interessante Reiseziele gab. Die einzige verkomplizierende Sache war, dass Hilde, eine Holländerin, immer wieder nach Hildesheim fahren wollte ...

Für uns war das Schwoti das perfekte Mittel, Deutschland, Deutsche und andere Ausländer kennenzulernen – insbesondere Ausländer mit großen Familien, aber kleineren Ambitionen, was die deutsche Sprache anbelangte. Am Anfang mag Deutschland mir sehr klein vorgekommen sein, aber dank des Schwoti wurden die Entfernungen riesig! Meine Reise von Leipzig nach Göttingen dauerte immerhin fast so lange wie ein Flug von Leipzig nach Chicago.

An einem Wochenende fuhren wir nach Berlin, um uns die Mauerreste anzuschauen. Hilde war aber mit dem Anblick der Mauer allein nicht zufrieden, sie wollte die Mauer wirklich «erleben». Und da Hilde zwar großen Mut aber einen kleinen Wortschatz besaß, befand sie sich bereits auf der Mauer, als sie nach unten rief: «David! Was bedeutet UNTERSAGT?» Ich antwortete: «Das bedeutet, du bist zu weit gegangen.» Tja, es ist manchmal nicht leicht, zwischen den Zeilen zu lesen, wenn es nur eine Zeile gibt...

Zu unserer Reisegruppe zählte oft auch ein schwedisches Pärchen: die hübsche Sara und ihr Freund Fredrick. Als Germanistikstudentin liebte sie die deutsche Sprache und kam deswegen nach Göttingen, und als ihr neuer Freund liebte Fredrick Sara und kam kurz danach. Und das, obwohl er mit der deutschen Sprache vorher nicht viel am Hut hatte. Hut ab, junger Schwede!

An einem Abend ging ich mit der Dänin und den beiden Schweden ins Kino. Wir wollten uns einen deutschen Film anschauen und schauten *Jenseits der Stille*, der von einer jungen Frau handelt, die gegen den Willen ihrer gehörlosen Eltern Musikerin wird. Beim Hinausgehen fragte ich Fredrick, wie er ihn fand. Seine Antwort: «Der Film war sehr ausländerfreundlich.» Überrascht über diese Aussage sagte ich: «Aber es waren in dem Film doch überhaupt keine Ausländer dabei!» – «Nein, aber die Leute im Film haben alle langsam und deutlich gesprochen. Das fand ich freundlich für Ausländer.» Nun verstand ich, was er meinte. Mit Adelheid war ich einige Wochen zuvor im Kino gewesen. Wir hatten uns die Jane-Austen-Verfilmung *Sinn und Sinnlichkeit* angesehen. Für mich war der Text so schwer, dass ich den Titel in «Sinn und Sinnlosigkeit» umtaufte.

An einem Tag im Dezember stürmten viele von den anderen Ausies mit einem Mal staunend auf die Straßen. Ich blieb drinnen und gähnte, denn der Anlass war der erste Schneefall. Die tropischen Ausies jedoch konnten es nicht fassen. Sie liefen hin und her wie «schneekrank» und freuten sich wahrlich wie die Schneekönige. Schnee fand ich auch ganz schön, aber für mich bedeutete es zu Hause immer eine Menge Arbeit. Immerhin bedeutet der erste Schneefall auch, dass es bis Weihnachten nicht mehr allzu lange hin ist.

Supi!

20 Durch Abkürzungen auf Abwege gekommen

In den meisten Grammatikbüchern wird relativ früh erwähnt, dass es im Deutschen, wie in vielen anderen Sprachen, jede Menge Abkürzungen gibt. Eine Variante davon sind die präpositionalen Kontraktionen. (Im Englischen gibt es zum Beispiel gebräuchliche Kontraktionen dieser Art wie *can't* für *cannot*, *I'm* für *I am*, *he's* für *he is* und *we'll* für *we will* oder *we shall*.)

Die präpositionalen Kontraktionen im Deutschen sind relativ leicht zu erkennen, auch wenn kein Apostroph dabei ist: *am, ans, aufs, beim, im, ins, vom, zum, zur* etc. Diese werden gerne in Grammatikbüchern angegeben, da sie zu den «artigen» unter den präpositionalen Kontraktionen zählen. Es ist nicht einfach nur so, dass man sie fast immer anwenden kann; man muss es sogar, zumindest wenn man nicht leicht unterbelichtet klingen will. So klingt es beispielsweise recht umständlich, wenn ein Mann zu einer Frau sagt: «Ich kenne dich irgendwie von dem Sehen her. Vielleicht war es in einem Kino, warst du neulich in dem Abaton? Ich glaube, es war bei dem Warten an dem Ausgang, als wir in das Gespräch kamen. An dem Besten gibst du mir deine Telefonnummer.» (Ich fürchte, nach so einer Einleitung bekommt der Mann ihre Nummer wohl eher nicht ...)

Es gibt im Deutschen jedoch eine Menge anderer präpositionaler Kontraktionen, die in den Grammatikbüchern eher stiefmütterlich behandelt werden. Es dauert also viel länger, bis man weiß, wie man diese richtig anwendet. Viele davon darf man sagen, jedoch nicht schreiben, wenigstens nicht in offiziellen Dokumenten. Täglich höre ich von Kollegen, dass sie ihr Auto «vorm Wochenende vors Gebäude» fahren werden, aber sollte ich in einem Prüfungsbericht schreiben, dass der Mandant «vorm Prüfungsabschluss vors Gericht» gehen wird, würde mein Satz gestrichen werden. Ferner könnte ich in jedem Text schreiben, dass ich «ins Ziel» getroffen habe, aber ich schieße sprachlich übers Ziel hinaus, wenn ich schriebe, dass ich «durchs Ziel» gegangen bin. Guten Gewissens kann ich schreiben «fürs Leben», «fürs Erste», «fürs nächste Mal»; es wird jedoch heikel bei «fürn Arsch». Man schreibt, es geht «ins Geld»; man schreibt jedoch nicht, dass es «ums Geld» geht. In den Nachrichten liest man, dass bei einem Brand zwanzig Leute «ums Leben kamen», aber nicht, dass zwanzig Leichen «ums Gebäude lagen».

Hier sind einige weitere Regeln, die dem Deutschlernenden etwas willkürlich erscheinen:

- ► *Beim* sagt man. *Beir* sagt man nicht. Bein sagt man, aber es heißt nicht «bei den».
- ► *Vorm* sagt man. *Vorer* sagt man nicht. *Vorn* sagt man, aber es heißt nicht «vor den».
- ► *Im* sagt man. *Iner* sagt man nicht. *Innen* sagt man, aber es heißt nicht «in den».

Eine andere Variante der deutschen Abkürzungen wird von den Grammatikbüchern noch stiefmütterlicher behandelt, auch wenn sie im Sprachgebrauch allgegenwärtig ist. Diese schwarzen Schafe sind die verschluckten Silben. Die Macht der verschluckten Silben führte mir mein jüngster Bruder Joe vor Augen, als er mich fragte: «David, was bedeutet ‹nen heben›?» Er war gerade fleißig dabei, Deutsch zu lernen, und ich kam mir wie ein guter, weiser, älterer Bruder vor, da ich seine Fragen bezüglich der deutschen Sprache meistens schnell beantworten konnte. Aber auf diese Frage hatte ich zunächst keine Antwort parat, da ich nicht wusste, dass er dabei war, den Text eines beliebten deutschen Liedes namens *Ab in den Süden* auswendig zu lernen. Ich bat ihn also um den Kontext, und Joe sagte: «David, zuerst packt man seine sieben Sachen in den Flieger rein. Dann geht man raus aus dem Regen, der Sonne entgegen. Soweit ist der Text ziemlich klar, aber bevor man die Bikinis erleben kann, muss man *nen heben*.» Erst da begriff ich, dass dies eine Kontraktion von «einen heben» war.

Ähnlich ging es mir, als ich mit einem Freund von Adelheid namens Christoph unterwegs war. Mit ihm verstand ich mich blendend, da wir einen ähnlichen Humor hatten. Aber leider verstand ich ihn sprachlich manchmal nicht so gut, da er – wie viele Teenager – keine sehr klare Aussprache hatte. So dachte ich eine Zeitlang, dass erstaunlich viele Mädels in der Kleinstadt den gleichen Namen hätten. Dies lag im Wesentlichen daran, dass, wenn wir ohne Adelheid gemeinsam unterwegs waren, Christoph mich immer wieder mit Variationen derselben Aussage konfrontierte: «Siehst du die Frau da? Das ist 'ne Nette. Und die da drüben, das ist auch 'ne Nette.» Erst als ich ihn fragte, wieso so viele Frauen «Nanette» hießen, wurde ihm klar, dass bei mir nicht alles «roger» war.

Andere Beispiele von gebräuchlichen verschluckten Silben im Deutschen sind: «Da hamn wir's» und «Wir sind mi'm Bus gekommen». (Ich hoffe, man meint dabei «mit einem» und nicht «mitten im».) Leicht missverständlich? Ich hab's Ihnen doch gesagt!

Darüber hinaus kann man im Deutschen manche Verben einfach weglassen, zum Beispiel in Sätzen mit einem Modalverb. Dies wird gemacht, wenn die Bedeutung trotzdem klar ist (zumindest für Deutsche!), wie zum Beispiel in: «Er darf in das Mädchenzimmer.» «Die anderen wollen auch mit.» «Sie möchte ein Stück Kuchen.» «Ich muss mal!» Und: «Er kann Deutsch.» Das erste Mal, als ich Letzteres hörte, wartete ich noch gespannt auf das Ende der

Geschichte: «Er kann Deutsch ... was?» «Nicht leiden?» «Wie ein Weltmeister sprechen?» «Nicht mehr sehen?» «Wie ein Schauspieler vorlesen?» Als ich endlich begriff, dass nichts mehr kommen würde, hatte sich mein Gesprächspartner bereits abgewandt.

Auch die Modalverben zur subjektiven Aussage sind etwas irritierend für die Nichteingeweihten. Schließlich gibt es einen großen Unterschied zwischen «Sie will meinen Brief gar nicht erhalten» und «Sie will meinen Brief gar nicht erhalten haben». Aber man weiß es eben nicht bis zum letzten Wort des Satzes, ein Wort, das eine Beziehung beenden kann! Ähnlich ist es bei den Sätzen «Er soll mit ihr Schluss machen» und «Er soll mit ihr Schluss gemacht haben». Wenigstens hat man in jenen Sätzen ein zusätzliches, wenn auch kleines, Wort dabei, anhand dessen man den Sinn interpretieren kann. Nicht einmal dies hat man bei dem zweideutigen Satz: «Mein Freund soll einen guten Grund haben.» (Solch ein Satz sollte eigentlich nicht unbeaufsichtigt frei herumstehen gelassen werden.)

—

Nicht nur sprachliche Abkürzungen können für eine Beziehung gefährlich sein; Ähnliches gilt auch für Kurzurlaube. Diese Erkenntnis kam mir, als ich in jenem Jahr in Göttingen kurz nach Weihnachten mit Adelheid einen Abstecher nach Paris machte. Trotz ihrer noblen Herkunft war Adelheid kein Luxusweibchen: Fliegen kam für uns nicht in Frage, zumal es damals noch keine Billigfluglinien gab. Daher fuhren wir direkt nach Weihnachten mit dem Bus über Nacht von Hannover nach Paris. Leider gab es am Tag der Abfahrt einen Schneesturm, der die ganze Angelegenheit ins Chaos stürzte. Für mich wurde also in dem Jahr der erste Tag nach Weihnachten zum ganz persönlichen «Bus- und Bet-Tag».

Nachdem wir die arktische Wartezeit und den Kampf um Sitzplätze überlebt hatten, versuchten wir, während der Fahrt nach Frankreich zuerst aufzutauen und dann einzuschlafen. Dabei dachte ich mir: «So hatte Gott bestimmt nicht in Frankreich gelebt; so lebt nicht einmal David in Deutschland.» Zum Glück wartete in Paris ein Empfangskomitee auf uns, das aus den Göttinger Jungs Jérôme und Juri bestand. Da Jérôme aus Paris kam und ein freundlicher Franzose war, hatte er uns alle eingeladen.

Ende Dezember 1996 war es russisch kalt in Europa. Laut Wetterdienst hatten wir den kältesten Winter seit Jahrzehnten. Da Juri und ich uns mit kontinentalem Klima auskannten, hatten wir hinreichend Respekt vor dem Winter: Juri trug seine russische Mütze und ich meine Ohrenschützer. Die modebewusste Adelheid fand dies gar nicht witzig. Sie weigerte sich, in der Öffentlichkeit in einem Umkreis von zehn Metern in meiner Nähe zu sein, während ich meine «komischen Micky-Maus-Ohren» trug. Sie lachte auch nicht, als ich sie fragte, ob ich ein «Schicki-Micky» sei.

Und auch Jérôme trug, wie es sich für einen Franzosen gehört, nur eine schicke, dünne Jacke und keine Kopfbedeckung. Ich fragte mich, wie er das bloß aushielt, an seiner Stelle wären mir die Ohren abgefroren. Aber Jérôme und Adelheid lebten offenbar nach demselben Motto: Beim Ausgehen ist es wichtiger, gut auszusehen, als sich wohl zu fühlen. Adelheid war auch nicht sonderlich begeistert, dass ich so viele Fotos machte. Sie schüttelte ständig den Kopf und sagte: «Nur die Japaner sind schlimmer.»

Am dritten Tag unseres Urlaubs mussten Juri und ich allein in Paris klarkommen, da Jérôme und Adelheid beide mit hohem Fieber zu Hause in ihren jeweiligen Betten lagen. Beim Aufstehen wollte ich zuerst Adelheid gegenüber etwas Schlaubergerei betreiben, aber ihre Miene hielt mich davon ab. Ihr böser Blick sagte mir, dass ich – sollte ich dies tun – sehr lange auch ohne Ohrenschützer warme Ohren haben würde.

Wir gaben bestimmt ein tolles Trio ab: ein Russe, ein Amerikaner und die deutsche Sprache. Nicht nur die Straßen von Paris haben wir erkundet, sondern auch die Wege der deutschen Sprache. Juri beeindruckte mich mal wieder mit jeder Menge Wortwitze, die er so locker aus seinen pelzbesetzten Ärmeln schütteln konnte. Zum Glück war Adelheid nicht dabei, da sie die bestimmt nicht lustig gefunden hätte:

► «Wie teuer ist die Sojawurst im Bioladen?» – «Schweineteuer.»

► «Was braucht man für manche Sitzungen?» – «Viel Stehvermögen.»

► «Wer wird bei der Zweigniederlassung der Baumschule nicht fündig?» – «Der Stammkunde.»

► «Wie wirkt man, wenn man Lampenfieber hat?» – «Etwas unterbelichtet.»

Als Juri gestand, «David, gestern war ich nach dem langen Tag völlig k.o.», erkannte ich meine Chance, endlich auch einmal mit meinen Sprachkenntnissen einen Beitrag zu leisten. Da Juri kein Englisch spricht, war ich mir sicher, dass er – wie viele Deutsche auch – nicht wusste, dass die Abkürzung k.o. von dem englischen Boxausdruck *knocked out* («bewusstlos geklopft») kommt. Als ich ihn allerdings fragte, ob er wisse, woher k.o. stammte, entgegnete Juri selbstsicher: «Natürlich! Das ist das Gegenteil von o.k.!» Er war darüber hinaus auch der Meinung, dass man im Deutschen statt o.k. eigentlich «a.k.» sagen sollte, was natürlich für «alles klar» stünde. Ginge es nach ihm, wäre die Abkürzung i.O. für «in Ordnung» noch besser. Da musste ich ihm jedoch widersprechen, denn sollte man i.O. zwei- oder dreimal hintereinander schnell sagen, würde man wie ein Esel klingen.

Trotz fehlender Orts- und Französischkenntnisse gelang es uns, den Eiffelturm zu erklimmen. Oben angekommen, standen wir schon wieder vor einem Problem: Wo waren die Toiletten? Und weil Juri kein Englisch sprach, musste ich als Übersetzer unserer Minigruppe auftreten. Nur schien dummerweise keiner der Einheimischen Englisch zu sprechen. Immer wieder war es dasselbe Spielchen:

Ich: «Parlez-vous anglais?»

Einheimische: «Non.»

Ich: «Parlez-vous allemand?»

Einheimische: «Non!»

Ich: «Parlez-vous russe?»

Einheimische: «Non?»

Irgendwann verlor ich die Geduld. Ich wollte endlich mal eine positive Antwort bekommen! Also benutzte ich mein geballtes Wissen der französischen Sprache und fragte den nächst besten: «Pardonnez moi, Monsieur. Parlez-vous français?» Endlich bekam ich ein «Mais oui!» zu hören. Dies erfreute mich einige Sekunden lang, auch wenn es uns toilettentechnisch gesehen wenig weiterbrachte.

Dort oben auf dem Eiffelturm überkam mich auch ein Gefühl dafür, wie symbolisch unsere Situation war: Ein Amerikaner und ein Russe zusammen im Herzen von Paris friedlich miteinander am Plaudern. Wenige Jahre zuvor wäre dies noch so gut wie undenkbar gewesen. Dass wir uns zudem auf Deutsch unterhielten, verlieh der Konstellation eine ganz besondere Note – was wohl auch die zwei deutschen Touristen so empfanden, die uns mit staunenden Blicken angafften.

Nicht nur unser Parisurlaub, sondern auch mein Pärchendasein mit Adelheid ging zu Ende. An der Bushaltestelle in Hannover sagte sie beim Abschied: «Tja, David, man sieht sich!» Leider verstand ich aber etwas anderes, und zwar: «David, man siezt sich!» Als ich also anfing, Adelheid zu siezen, hatte sie keinen Zweifel mehr daran, dass wir nicht zusammenpassten.

Anfang Januar musste ich auch meine Pläne bezüglich meines

weiteren Aufenthalts in Deutschland revidieren, da mir zwei Dinge klar wurden: Erstens dauert das Hauptstudium in Deutschland ziemlich lange, und zweitens war ich ziemlich pleite. Egal, wie viele Kürzungen man bei seinen Ausgaben macht – wenn man keine Einkommensquellen hat, geht einem irgendwann das Geld aus. Ich konnte also nicht mehr lange ohne Einkommen auskommen, geschweige denn ausgehen.

Langsam wurde es mir in der Ruhe etwas unruhig: Ich musste mich wohl oder übel um einen Job kümmern, wollte ich im Land meiner Ahnen Fuß fassen ...

21 How do you «du»?

Wo man im Deutschen die Wahl zwischen den sieben Alternativen «du», «dich», «dir», «ihr», «euch», «Sie» und «Ihnen» hat, muss man im modernen Englischen mit einem Wort auskommen: *You*. Dies führt dazu, dass sich deutschlernende Englischmuttersprachler oft die folgende Frage stellen: «How do you ‹du›?»

Die Entscheidung für das richtige deutsche You ist von vielen Faktoren abhängig. Die verhältnismäßig harmlosesten von denen sind die objektiven: Erstens, wie viele *Yous* gibt es? Zweitens, in welchem grammatikalischen Fall befinden sie sich momentan? Leider ist die Wahl des richtigen *You* aber auch von einer Vielzahl subjektiver Faktoren abhängig: Erstens, wie gut kennt man das *You*? Zweitens, wie gut möchte man das *You* kennen? Drittens, wie gut möchte einen das *You* kennen? Zum Glück gibt es Eckpunkte, die helfen können, wie das Alter, der Beruf und die Eitelkeit des *You*. Auch mit einzubeziehen ist die Situation, in der man dem *You* begegnet. Lernst du ein Fräulein in der Disco kennen, solltest du sie duzen, es sei denn, du bist der Türsteher. Lernst du das gleiche Fräulein jedoch an der Rezeption einer Firma kennen, die du als Bewerber auf einen Arbeitsplatz besuchst, dann hast du sie zu siezen, solltest du sie wieder sehen wollen.

Eine weitere Grundregel, die dem Deutschlernenden helfen kann, lautet: Würde man den Nachnamen benutzen, dann sollte man in der Regel siezen. Damit geht man eigentlich immer auf Nummer sicher – ausgenommen man ist im Norden. Hier kann es schon mal vorkommen, dass man im Supermarkt hört: «Sag mal, Frau Schmidt. Weißt du, wie viel das Astra-Bier kostet?» Und da hat hier keiner was dagegen. Die umgekehrte Situation gibt es auch, wie zum Beispiel beim Zahnarzt, wo ich als Patient schon oft gehört habe: «Ariane, holen Sie mal das Folterzeug für den Patienten Bergmann!» Dieses letztere Rätsel konnte ich bis jetzt nicht lösen, was im Wesentlichen daran liegt, dass mein Mund zu diesem Zeitpunkt in der Regel sperrangelweit offen stand und vollgestopft war und somit jegliche Frage meinerseits ausgeschlossen.

Über die Jahre habe ich den folgenden Eindruck gewonnen: Je weiter man in den Norden des Sprachraums der germanischen Völker kommt, desto dominierender ist das Duzen. Auf dem platten Land Norddeutschlands kommt man relativ schnell ins Duzen. Und in den skandinavischen Sprachen wie Schwedisch duzt man fast jeden. (Übrigens heißt «du» übersetzt ins Schwedische, Norwegische und Dänische einfach «du», im Gegensatz zum Finnischen, wo es «duiiiiikökökii» oder so ähnlich heißt.) Eine Ausnahme in Schweden wäre vielleicht ein Treffen mit dem König, aber auch nur dann, wenn einem Bürger danach ist. Auf der anderen Seite bleibt man in Süddeutschland, Österreich und der Schweiz in der Regel viel länger beim Sie, wenn man überhaupt vor dem Lebensende zum Du wechselt.

Trotz der vielen Schwierigkeiten bei der Auswahl des richtigen deutschen Yous ist es sehr wichtig, dass man sie richtig trifft. Von den obengenannten sieben Möglichkeiten lässt sich keine wie ein Zwerg behandeln. Sie verlangen allesamt Respekt, Beachtung und Gehorsam. Das falsche *You* zu wählen kann weitreichende Konsequenzen haben – manche lustig, manche jedoch potenziell gefährdend für die Karriere. Am Anfang meines Praktikums in Hamburg ging ich beispielsweise einfach davon aus, dass ich alle «wichtigen» Leute, wie zum Beispiel die Manager und Partner, siezen sollte, während ich die «weniger wichtigen» Leute, wie zum Beispiel die Sekretärinnen, duzen sollte. Dies war eindeutig eine Fehleinschätzung meinerseits. Manche der Manager und Partner wollten tatsächlich gesiezt werden, aber die meisten freuten sich einfach über meine Höflichkeit, lächelten und boten mir schnell das Du an. Von den Sekretärinnen lächelte jedoch keine. Es wurde mir schnell klar, dass die meisten Sekretärinnen nicht nur gesiezt werden wollen, sondern auch sehr wichtig sind.

Zu meiner eigenen Verwunderung fing ich irgendwann an, diese Vielfältigkeit der deutschen Sprache zu schätzen. Beispielsweise wenn man in der Öffentlichkeit mithört, wie sich ein Mann und eine Frau streiten. Sollten sie sich duzen, weiß man, dass es sich wahrscheinlich nur um etwas Banales handelt. Sollten sie sich jedoch bei einer heftigen Auseinandersetzung siezen, müsste man sich eventuell ritterlich einmischen, falls ein echtes Problem entstanden ist.

Nach einigen Jahren mit der deutschen Sprache kommt es mir inzwischen sogar manchmal komisch vor, wenn ich mich mit einer wichtigen Persönlichkeit auf Englisch unterhalte, und ich kann mich nur des *You* bedienen. Ich habe dabei irgendwie das unbehagliche Gefühl, ihr vielleicht zu nahe zu treten.

—

Als ich in Hamburg im Januar 1997 in dem großen Gemach des Niederlassungsleiters saß, mit dem hohen Tier selber mir gegenübersitzend, war mir wenigstens eines klar: Den Mann sollte ich nicht duzen. Nachdem wir uns ganz kurz unterhalten hatten, schritt er zur Tat und griff zum Telefonhörer. Was er zu der Person am anderen Ende der Leitung sagte, klang vielversprechend: «Wissen Sie, ob Herr Bergmann etwas bei der großen Tochter machen könnte?» Offensichtlich bekam er eine positive Antwort, denn er legte anschließend den Hörer auf und gab mir ein Blatt Papier mit der Adresse eines Mandanten darauf: «Herr Bergmann, da fangen Sie morgen an zu prüfen.»

Ich war seit einem Tag in Hamburg bei einer Wirtschaftsprüfungsgesellschaft angestellt. Nach einem Semester in Göttingen dachte ich, dass ich die deutsche Sprache inzwischen einigermaßen beherrschte. Dann kam meine erste Arbeitswoche, und meine Einschätzung wurde massiv korrigiert. Ich war nämlich nicht mehr unter Studenten aus aller Herren Länder, sondern in der Welt des Büro-Deutschs: Ich befand mich nun in der Wirtschaftsprüfung, wo die Gedanken selten frei sind, dafür aber immer teuer.

Der Prüfungsleiter bei der großen Tochtergesellschaft hieß Ulf und freute sich, mich dabeizuhaben, zuerst zumindest. Schon meine erste Prüfungsaufgabe überforderte mich etwas:

«David, prüf mal die PRAP»

«Was ist ein PRAP?»

«Das ist wie ein ARAP, nur umgekehrt.»

Zum Glück fand ich im Vorjahresprüfungsbericht Erläuterungen für viele Abkürzungen. So erfuhr ich zum Beispiel, dass ein ARAP ein «aktiver Rechnungsabgrenzungsposten» ist. Also nicht, wie ich zuerst vermutet hatte, jemand, der in der Wüste wohnt.

Nachdem ich die PRAP und die ARAP einigermaßen geprüft hatte, sagte mir Ulf: «David, jetzt kannst du die GWGs prüfen. Etwas Leichteres gibt es ja nicht.» Ich blätterte schnell diskret im Vorjahresprüfungsbericht. Dort stand: «geringwertige Wirtschaftsgüter mit Anschaffungskosten unter DM 800, die sofort abschreibbar sind». Ich war erleichtert, dass GWG nicht «geringwertige Wirtschaftsgammler» bedeutet, denn ich wollte ja nicht sofort abgeschrieben werden. Man würde mich schließlich wohl weder linear noch degressiv abschreiben, sondern eher «aggressiv» ...

Auf dem Weg in die Mittagspause sah ich im Fahrstuhl einen Knopf mit der Bezeichnung «UG». Ich fragte den anderen Assistenten, Wolfgang, ob man dort um die Freiheit kämpfe. Nach einer kurzen Pause des Nachgrübelns erklärte er mir: «UG heißt Untergeschoss, nicht Untergrund! In diesem Haus wird um einiges gekämpft, aber definitiv nicht um die Freiheit.»

Zum Glück hatte ich schon vor meinem ersten Arbeitstag in einer Wirtschaftszeitung erfahren, wie man sich in Deutschland verhalten sollte, wenn man von jeglicher Ahnung unbeleckt ist: Man gibt es einfach nicht zu. Und erst recht nicht, wenn man «null Ahnung» hat! Man sagt zum Beispiel nie und nimmer: «Ich verstehe gar nichts!» Stattdessen verpackt man seine Unkenntnis und behauptet: «Ich fühle mich zurzeit nicht in der Lage, dieses Thema abschließend beurteilen zu können.»

Andere Beispiele für falsche und richtige Antworten in schwierigen Situationen:

- ▶ «Ich habe es vergessen.» – «Das ist mir entfallen.»
- ▶ «Geht mich das was an?» – «Das tangiert mich nur peripher.»
- ▶ «Ich bin nicht mehr sicher.» – «Wenn ich mich recht entsinne.»
- ▶ «Da blicke ich nicht durch.» – «Das geht über meinen Horizont.»
- ▶ «Ich denke schon.» – «Nach menschlichem Ermessen.»
- ▶ «Ich fand es nirgendwo heraus.» – «Es ließ sich nicht eruieren.»
- ▶ «Weil mich das nervte.» – «Aus gegebenem Anlass.»
- ▶ «Ich habe keine Lust.» – «Dies liegt nicht in meinem Aufgabenbereich.»
- ▶ «Ich weiß es gar nicht.» – «Weiß der Kuckuck (bzw. Henker, Teufel oder Geier).»

Anfangs war ich schwer beeindruckt, was der Kuckuck und Co. alles wussten. Am besten von allen Floskeln in diesem Bereich finde ich allerdings: «Das entzieht sich meiner Kenntnis.» Denn damit erklärt man, dass man in der Situation nichts dafür kann, dass man nichts kann. Die Konsequenzen, die Wolfgang zog, als er nach der Mittagspause mir gegenüber doch einmal zugab, dass er etwas nicht wusste, fand ich jedoch zu brutal: «David, dann ist anzuwenden ... im HGB Paragraph ... uh, was weiß ich? Uh, 265 im Absatz ... Schieß mich tot!» Wieso ich den Wolfgang totschießen sollte, nur weil er die Antwort nicht parat hatte, wusste ich in dem Moment nicht. Aber ich dachte mir, dass der Kuckuck es bestimmt wusste!

Wenn man bei einer Wirtschaftsprüfungsgesellschaft arbeitet, sollte man sich mit «Soll und Haben» gut auskennen, sagte mir Ulf am Anfang. Dazu erklärte er mir den wichtigsten Wirtschaftsprüfungsgrundsatz in dieser Hinsicht: «Partner und Manager haben, während alle anderen Mitarbeiter sollen.» Am Ende jeder Prüfung kam der «Auftrags-Audit-Manager» vorbei, um zu schauen, wie das Mandat lief. Der Manager bei meinem ersten Mandanten hieß Klaus. Unter anderem nahm er unsere Arbeitspapiere genauestens unter die Lupe: Dabei wurde der Kollege Wolfgang sichtlich nervös – ich glaube, er litt unter «Klaustrophobie».

Nach einigen Wochen in Hamburg begann ich die Zeit zu vermissen, als ich noch unter lauter Studenten in Göttingen war. Also entschloss ich mich, den Universitätscampus in Hamburg zu erkunden. Als ich dort ein Schild der internationalen Studentenorganisation *Aiesec* sah, wurde es mir ganz warm ums Herz. In Göttingen war ich Mitglied von Aiesec gewesen, und dank ihr war ich auch nach Hamburg gekommen. Vielleicht ist etwas Hintergrundinformation hier erforderlich.

Aiesec hatte Anfang Januar 1997 eine Firmenkontaktveranstaltung organisiert, bei der ich mitarbeitete. Bei der Planung erkannte ich die Chance, meiner Kohlelosigkeit zu entkommen, sodass ich mich auf der Liste der Studenten einschrieb, die sich bei den Wirtschaftsprüfungsgesellschafts-Vorstellungsgesprächen anmeldeten. Wider Erwarten lief mein Vorstellungsgespräch glänzend. Der Wirtschaftsprüfer, Herr Dr. Z., vermittelte mir den Eindruck, dass ich doch einige Vorteile gegenüber anderen hatte: einen Studienabschluss, Berufserfahrung und eine Muttersprache, die in Deutschland etwas wert ist. Zum Glück stellte er mir keine komplizierten Fachfragen, wie zum Beispiel, wie man eine «ewige Rente» kalkuliert. Schließlich dachte ich damals noch, dass die ewige Rente etwas sei, was man im Alter von 55 Jahren in Deutschland bekommt. (Eigentlich benutzt man sie in der Formel zur Ermittlung des Wertes eines Wirtschaftsgutes …)

Am Ende des Gespräches fragte mich Herr Dr. Z.: «Herr Bergmann, kennen Sie Hamburg?» Ich dachte mir: Hm … da gibt es einen Hafen und die Reeperbahn. Kann wohl nicht allzu schlecht sein. Dies habe ich dann aber nicht gesagt, sondern: «Aber natürlich! Es ist die schönste Stadt Deutschlands!» An seinem Lächeln erkannte ich, dass dies wohl die richtige Antwort war. Ich fasste mir dann ein Herz und fragte: «Könnte ich eventuell, im Sommer vielleicht, ein ganz bescheidenes Praktikum machen?», insgeheim eine Reaktion wie «Rufen Sie uns bitte nicht an. Wir werden Sie auch nicht anrufen» erwartend. Deswegen überraschte mich seine Antwort umso mehr: «Herr Bergmann, könnten Sie nächsten Montag bei uns anfangen?» So wurde mein Hauptstudium in Göttingen schneller als erwartet beendet. Als ich dies am Abend Frau Wilbärt erzählte, traten Tränen in ihre Augen; diese sahen jedoch definitiv nicht wie Tränen der Traurigkeit aus.

Noch überraschender für mich als das Stellenangebot selbst war die Mitteilung drei Monate später, dass ich das Praktikum überstanden hatte, und man mir eine Vollzeitstelle anbot. Dies war keine Selbstverständlichkeit, denn wenn es in der Wirtschaftsprüfungsbranche nicht läuft, bekommt man ganz schnell einen Laufpass.

PS

Im Englischen gibt es übrigens das Wort «*doozie*», das wie «du-sie» ausgesprochen wird. Es bedeutet sinngemäß «eine Unmöglichkeit, ein Hammer». Ich weiß nicht, ob dies ein Zufall sein kann ...

22 Mit dem R ins Rollen kommen

Das Hauptproblem für Englischmuttersprachler bei der deutschen
Aussprache ist bekanntlich der R-Laut. (Diese Aussage dürfte wohl
keine große Überraschung sein ...) In einem Reiseführer über
Deutschland las ich einmal, dass es dort drei verschiedene Versio-
nen der amerikanischen Highschool gibt (Gymnasium, Realschule
und Hauptschule) – und in keiner davon findet man einen Trink-
wasser-Brunnen, wie es in jeder amerikanischen Schule üblich ist.
Ähnlich verhält es sich mit dem R-Laut: Im Deutschen gibt es drei
Möglichkeiten, das R auszusprechen, und keine davon ist wie das
Amerikanische.

Diese drei sind:

▶ Die Vibration der Zungenspitze am Zahndamm (apikal), wie in
der Schweiz üblich.

▶ Die Vibration des Zäpfchens an der Zungenwurzel (uvular),
wie in Norddeutschland üblich.

▶ Das einfache Weglassen jeglichen Klanges (Faulenzia vulgaris
extremica), wie fast überall üblich, so zum Beispiel im nächsten Absatz.

Eigentlich wird die dritte Variante nie explizit erwähnt, genauso
wie das R im Deutschen manchmal nicht explizit ausgesprochen
wird. Ich finde, dass oft im Deutschen das R wahrhaftig nicht wahr-
nehmbar ist, besonders in Norddeutschland. Im amerikanischen
Englisch schämt es sich gar nicht so, sondern zieht viel mehr Aufmerksamkeit auf sich. Im Deutschen hingegen höre ich das R häufig einfach nicht und muss daher erraten, ob es überhaupt da ist.

Das geht aber nicht nur mir so. Dass die Beherrschung des R-Lauts tatsächlich nicht kinderleicht ist, findet auch die kleine Tochter einer Freundin, die mich einmal fragte, ob man Bär «Bea» buchstabiert. Missverständnisse sind da natürlich vorprogrammiert. Zum Beispiel dachte ich einmal beim Radiohören, dass der Moderator eine neue Rockgruppe ankündigte, die *Ks*. Erst als das Lied anfing, wurde mir klar, dass er eigentlich die *Cars* meinte.

Besonders peinlich waren aber die Fälle, in denen ich annahm, dass ein R dabei wäre, wo gar keins da war. So dachte ich lange:

► Leipzig sei eine «Messerstadt».

► Alte Autos haben ihre «Türken».

► Etwas kann so sicher sein wie «die Armen» in der Kirche.

► Man kauft beim Italiener nicht Pasta Mista, sondern «Pasta Mister».

► Wenn man Biologie studiert, bekommt man meistens eine Stelle in der «Farmerindustrie».

► Man kauft Eis nicht bei einer Eisdiele, sondern bei einem «Eis-Dealer».

Wenigstens konnte ich als Englischmuttersprachler schon immer den Unterschied zwischen dem deutschen L und R hören, im Gegensatz zu Asiaten, die beispielsweise oft nicht wissen, ob ein Deutscher «ausgelastet» oder «ausgerastet» sei. (Oder was man sich am Silvester eigentlich wünscht …)

Ich erinnere mich auch an die erste Ausspracheunterrichtsstunde bei Frau Güllicher im Goethe-Institut, in der wir uns mit diesem Thema beschäftigten. Nach der Stunde fragte sie mich, wie es mir ginge, da ich so geschafft aussah. Ich wollte sagen: «Ich trauere furchtbar», aber ich konnte nicht. Egal, was sich Frau Güllicher in den nächsten Monaten einfallen ließ oder wie ich mich ins Zeug legte, ich schaffte es bis zum bitteren Ende meiner Zeit im Goethe-Institut nicht, das «Uvular-r» richtig zu auszusprechen.

Beim «Apikal-r» sah es etwas besser aus, aber Frau Güllicher war auch damit nicht zufrieden, da sie aus Lübeck stammte, wo die Einheimischen selten so sprechen.

Deutsche machen sich in der Regel gerne über die Probleme lustig, die Amerikaner mit dem deutschen R-Laut haben. Besonders fies ist dabei, dass die meisten von ihnen hingegen keine Probleme mit der Aussprache des Englischen R-Lauts haben, da sie sich seit der Kindheit damit beschäftigen. Somit hat ein Englischmuttersprachler es nicht leicht, wenn ein Deutscher seine Aussprache nachahmt. Ich freute mich daher besonders, als ich feststellte, dass die meisten Deutschmuttersprachler entweder das «Apikal-r» oder das «Uvular-r» können, aber nicht beides. Im deutschsprachigen Raum ist dies nicht so wichtig, es sei denn, man möchte beispielsweise als Schweizer oder Bayer in Hamburg nicht auffallen, aber bei anderen Fremdsprachen kann es entscheidend sein. Im Spanischen zum Beispiel heißt *perro* (mit viel Trillern) «Hund», während *pero* (mit wenig Trillern) «aber» heißt. Sollte man also das «Apikal-r» des Spanischen nicht aussprechen können, dann kommt man sozusagen schnell auf den Hund ...

In Göttingen gab es sogar einen Kurs für Leute, die Probleme hatten, mit der Aussprache des R-Lauts ins Rollen zu kommen. Beim ersten «R-Kurs» war ich richtig pünktlich. Nach endlosen Dehnübungen und Entspannungsbewegungen ging es los mit den «R-Gesprächen». Zu meiner Enttäuschung musste ich aber feststellen, dass man uns nicht die Aussprache des in Deutschland wichtigen «Uvular-r» beibringen wollte, sondern das «Apikal-r» des Spanischen. Dies konnte ich schon einigermaßen, und ich ließ zum Beweis mein bestes perro erklingen. Kurz darauf stellte ich fest, dass dafür alle anderen Kursteilnehmer das «Uvular-r» schon perfekt beherrschten. Nach einigen Augenblicken des gegenseitigen Beneidens ging ich enttäuscht nach Hause ...

Erst nach einigen Jahren in Deutschland und allerlei weiteren

Übungen habe ich es hingekriegt, das «Uvular-r» einigermaßen richtig auszusprechen, wenn auch nicht vollkommen, sodass ich wohl immer im Deutschen mehr oder weniger ein «R-rater» bleiben werde. Aber zumindest kann niemand behaupten, dass dies an irgendeiner «Bereitschaftsinsuffizienz» meinerseits liegt!

———

Während meiner ersten Monate in Hamburg trennten sich viele Kollegen von der Firma, da bei ihnen in der Tat eine Bereitschaftsinsuffizienz vorlag. Dies gab mir zu denken, zumal ich noch in der Probezeit war, sodass ich einen Kollegen fragte, ob dies womöglich mit mir zusammenhing und meine Beurteilung negativ beeinflussen könnte. Zu meiner Erleichterung erklärte er mir, dass es (weitestgehend unabhängig von meiner Anwesenheit, sondern vielmehr aufgrund der stressigen Arbeitsbedingungen) unter den Mitarbeitern einer Wirtschaftsprüfungsgesellschaft in Deutschland fast immer eine hohe Fluktuationsrate gäbe.

Ich erfuhr außerdem, dass ein Mitarbeiter, wenn er die Firma nicht mehr ausstehen kann, seinen Ausstand gibt. Das Konzept dieser Abschiedsparty fand ich eine schöne Geste. Viel besser zumindest als diejenige gegenüber ausländischen Gästen, die nicht die richtige Aufenthaltserlaubnis haben. Dann wird nämlich eine Abschiebungsparty veranstaltet. Schließlich wird man ohne den richtigen Ausweis ausgewiesen. Daher ist es extrem wichtig, dass man die passende Duldung, Billigung, Genehmigung, Erlaubnis oder Berechtigung (je nachdem) zum Aufenthalt in der Bundesrepublik hat. Das diesbezügliche Gesetzeswerk zu verstehen ist sehr zeitaufwendig – aber man hat ja auch viel Zeit, wenn man in der Warteschlange vor dem Ausländeramt in Hamburg steht.

Egal, wo man ursprünglich herkommt, die Erinnerungen an

die Ausländeramtswarteschlange schweißen zusammen. Wenn sich zwei Ausländer in Hamburg kennenlernen, gibt es immer denselben Gesprächsanfang. Zuerst fragt man: «Wie heißt du?», dann: «Woher kommst du?» und: «Was für einen Aufenthaltsstatus hast du?» und schließlich «Wie viele Stunden hast du dieses Jahr in der Ausländeramtswarteschlange verbringen müssen?» Im Ausländeramt kann man leicht den Eindruck bekommen, dass sich das Wort «Warteschlange» vom Ausdruck «warteschonlange» ableitet.

Deswegen war meine Verblüffung maßlos, als ich auf einer Party einen frisch zugewanderten Russen kennenlernte, der mir auf die obligatorische vierte Frage antwortete: «Keine.» Logischerweise war meine nächste Frage: «Waaas!?» Er fuhr fort: «Ich bin ja Aussiedler. Ich habe einen deutschen Pass bekommen, ohne den anderen aufgeben zu müssen. Ich kann hier wählen. Ich werde nicht einmal als Ausländer bezeichnet.» Aber dann dachte ich mir: «Moooment! Das kann ich auch. Schließlich heiße ich Bergmann.»

Aufgrund meines deutschen Nachnamens weiß man ja in Deutschland zunächst noch nicht einmal, dass ich gar kein Deutscher bin – was sich allerdings schnell ändert, sobald ich den Mund aufmache. In fremder Gesellschaft finde ich diese Tarnung manchmal praktisch; dann schweige ich gern mal eine Weile, um eine gewisse Unauffälligkeit zu genießen.

«Woher kommst du?» ist eine Frage, die mir in Deutschland häufig gestellt wird. Das erste Mal antwortete ich stolz: «Ich komme aus den USA!», da ich nicht ahnte, dass man meine Herkunft anhand meines Akzentes so leicht zuordnen konnte. Mein Stolz schwand augenblicklich, als ich gefragt wurde: «Das ist schon klar, aber woher kommst du genau?» Danach antwortete ich immer: «Chicago.» Auch wenn ich fast wortwörtlich unter den Kühen in einem Kuhdorf in Ohio aufgewachsen bin, habe ich schließlich einige Jahre in Chicago gewohnt und kenne mich dort relativ gut aus. Als mich einmal auf einer Uniparty eine deutsche Studentin fragte, wo ich herkomme, sagte ich daher auch «Chicago». Es dauerte knapp eine Stunde, bis wir feststellten, dass sie ein Jahr lang im Haus hinter dem meiner Großeltern in Ohio gewohnt hatte. Seitdem antworte ich immer: «Wo ich herkomme, hängt davon ab, wie gut du dich in den USA auskennst.» Wenn man mir sagt, dass sich die eigenen Kenntnisse darauf beschränken, dass man irgendwann mal eine Landkarte der USA gesehen habe, dann komme ich noch aus Chicago.

Sehr häufig wird mir auch gesagt, dass ich einen deutschen Nachnamen besitze. Ich weiß, dass man es nur gut meint, aber es geht mir ähnlich wie 2-Meter-Menschen, denen immer wieder gesagt wird, wie groß sie doch sind. Das wissen sie schon. Deshalb habe ich mich so sehr gefreut, als ich einmal beim Optiker eine Frau Deutsch kennenlernte. Ich konnte es mir einfach nicht verkneifen, ihr zu sagen: «Sie haben ja einen sehr deutschen Nachnamen!» Verständlicherweise hielt sich ihre Freude in Grenzen … Ich werde auch regelmäßig gefragt, wieso ich keinen «echten» amerikanischen Nachnamen habe. Natürlich gibt es keine echten amerikanischen Namen, da die USA ein echtes Einwanderungsland sind. Jeder Name dort ist echt echt.

Leider bringt mir mein deutscher Nachname nicht viel, wenn ich in meiner Freizeit in der «freien und hanseatischen Ausländeramtswarteschlange» stehe. Nahezu zwanzig Jahre nachdem ich erfahren hatte, dass meine Vorfahren nicht auf dem Segelschiff *Mayflower* in die Neue Welt gekommen waren, fing ich also an, intensive Stammbaumforschung zu betreiben. Dies brachte interessante neue Erkenntnisse hervor: Zum Beispiel stellte ich fest, dass alle meine Vorfahren deutsche Nachnamen hatten; einige davon fand ich ähnlich schön wie Bergmann, zum Beispiel Kaiser, Rabe und Vogelsang. Aber es waren leider auch einige dabei, die ich weniger attraktiv fand, wie zum Beispiel Böse, Stein und Deppen.

Meine Ergebnisse habe ich einigen meiner Freunde in Deutschland mitgeteilt. Viele meinten nur, sie seien nicht besonders überrascht, dass es unter meinen Vorfahren viele Deppen gegeben hat. Hmm … Eine Freundin von mir komponierte sogar ein kleines Liedchen zu meinem Stammbaum, dessen Refrain lautete: «Oh Bergmannbaum, oh Bergmannbaum, wie dumm sind deine Deppen?» Wenigstens war die Melodie schön.

Meine Forschung ergab des Weiteren, dass in den 1830ern und 1840ern alle meine 32 Ur-ur-urgroßeltern aus Deutschland in die USA auswanderten; die meisten von ihnen von Bremerhaven aus. Ich hoffte, diese Feststellung würde meine Chance auf einen Aussiedlerstatus in Deutschland verbessern, denn dann bräuchte ich nicht mehr die passende Duldung, Billigung, Genehmigung, Erlaubnis oder Berechtigung (je nachdem). Voller Hoffnung suchte ich also den zuständigen Beamten beim Ausländeramt auf – und bekam prompt eine Ablehnung. Zusammengefasst lautete die Begründung: «Unterlagen hin, Unterlagen her, Amis können nicht Aussiedler sein!» Aussiedler konnte offensichtlich nur jemand sein, dessen deutsche Vorfahren im «wilden Osten» gesiedelt hatten. Meine Vorfahren siedelten leider im Wilden Westen. So viel also zum Thema «Blutprinzip»!

Der Beamte ließ nicht mit sich reden. Er sagte: «Mal platt ausgedrückt: Um in diesem ‹Wohlfahrtsstaat› als Aussiedler anerkannt zu werden, muss man aus einem ‹Talfahrtsstaat› kommen.» Langsam kam mir der Verdacht, der Beamte könnte ein weit entfernter Verwandter von mir sein. Aber ich traute mich nicht, ihn zu fragen, ob unter seinen Vorfahren auch Deppen waren …

Ich dachte mir, wenn ich schon kein Aussiedler bin, könnte ich mich doch zumindest als Gastarbeiter bezeichnen. Schließlich war ich ein Gast hier, und ich arbeitete ja auch. Dies teilte ich meinem

Lieblingsbeamten mit. Dessen Antwort ließ eine leichte Verstimmung erkennen: «Nein, Herr Bergmann! Sie sind auch kein Gastarbeiter! Sie sind ein Ausländer, dem es NOCH erlaubt ist, hier zu wohnen und zu arbeiten.» Ich stellte ihm keine weiteren Fragen. Womöglich würde er sonst noch meine Aufenthaltserlaubnis zu einer Aufenthaltsduldung herabstufen. (Ich kam daher auch nicht dazu, ihn zu fragen, ob ich als «Schreibtischtäter» bezeichnet werden könnte, da ich beruflich überwiegend am Schreibtisch tätig bin. Er hätte sich darüber bestimmt «r-bost».)

Obgleich ich enttäuscht war, konnte ich mich nicht wirklich über den Orientierungssinn meiner Vorfahren beschweren. Schließlich durften sie einige Jahrzehnte früher als die Ost-Aussiedler wählen. Und sie wurden niemals vom Staat vertrieben, verfolgt, verachtet oder vermöbelt. Diese Überlegungen bauten mich ein wenig auf, als ich das nächste Mal in der Schlange beim Ausländeramt stand und ungeduldig wartete, bis sie ins Rollen kam ...

23 Die deutsche Sprache wird kidnappiert

Während einer wichtigen Besprechung sollte man eigentlich nicht laut lachen – erst recht nicht, wenn der Geschäftsführer gerade über ein ernsthaftes Thema spricht. (Deswegen wird uns Fußsoldaten in der Wirtschaftsprüfungsbranche auch empfohlen, zu Übungszwecken täglich morgens vor dem Spiegel zehnmal laut zu wiederholen: «Mir ist das Lachen vergangen.») Aber in diesem Fall war ich ausnahmsweise unschuldig: Wenn der Geschäftsführer in der Besprechung reines Hochdeutsch gesprochen hätte, dann hätte ich mich bestimmt nicht so blamiert. Aber anstatt uns mitzuteilen, dass die Firma stellenweise Arbeitsplätze abbauen muss, sagte er: «Ein paar Peoplechen müssen rausgekickt werden.» Da konnte ich mir das Lachen einfach nicht verkneifen.

Es kommt wahrlich selten vor, dass mir Zitaten deutscher Fußballspieler einfallen, aber in diesem Moment musste ich einfach an eine Weisheit von Andreas Möller denken, da ich «vom Feeling her kein gutes Gefühl» hatte. Hieran muss ich oft denken, wenn jemand die Sprache der Dichter und Denker spricht und sich plötzlich englischer Begriffe bedient, egal, ob es schon einen passenden (geschweige denn einen besseren) deutschen Begriff dafür gibt. Es werden einfach immer häufiger Anglizismen im Deutschen verwendet. Dieses Phänomen wird dann «Neudeutsch», «Germisch» oder «Denglish» genannt. Diese Bezeichnungen finde ich jedoch zu positiv, und deswegen plädiere ich für eine angemessenere: *Doinglish*.

In den Schlagzeilen der deutschen Zeitschriftenlandschaft kann es besonders komisch werden. Neulich las ich im *Spiegel*: «Albert Speer: Manager des Bösen» – welch unpassender Anachronismus für Deutschlands sonst so seriöses Nachrichtenmagazin. Ich warte nun gespannt auf folgende Schlagzeilen: «Jesus Christus: Sunny Boy der Welt», «Dschingis Khan: Killer der Steppe», «Mozart: Singer-Songwriter der Alpen» und «Napoleon: Globalplayer der Franzosen».

Wenn sich Menschen zusammensetzen, um etwas zu besprechen, wieso heißt das dann nicht mehr Besprechung, sondern *Meeting*? Wer braucht denn schon ein Meeting, wenn die folgenden Wörter zu Diensten stehen: Konferenz, Diskussion, Treffen, Tagung, Sitzung und Besprechung. Fehlt nur noch, dass man sich auch nach Feierabend mit Freunden zum *Speaking* statt zum Klatsch und Tratsch, Klönschnack, Plaudern oder Schwatzen trifft.

Natürlich kommt es oft vor, dass ich bei der Arbeit oder auf einer Party einen Raum mit ausschließlich Deutschen betrete und der einzige Nichtmuttersprachler bin. Da finde ich es schon irgendwie ironisch, wenn die anderen bei meinem Erscheinen wie aus einem Munde proklamieren: «Jetzt kommt der *Native-speaker*!»

Inzwischen habe ich aus Neugier einige Bücher über dieses Thema gelesen: Manche finden die Entwicklung des Doinglishen faszinierend, manche irritierend, manche entsetzlich und manche witzig. Ich finde sie all dies.

Faszinierend ist es zum Beispiel, wenn man betrachtet, wie sich die Bedeutungen von einigen englischen Wörtern über die Jahre entwickelt haben. Ein gutes Beispiel hierfür ist der rasante Aufstieg des englischen Wortes *Job*. In meinem Sprachkurs in Göttingen im Jahre 1996 wurde ich von der Deutschlehrerin Frau Tamchina streng korrigiert, als ich meine ehemalige Arbeitsstelle bei einer Wirtschaftsprüfungsgesellschaft in Chicago als meinen Job bezeichnete: «Herr Bergmann, im Deutschen ist ein Job nur etwas Vorübergehendes oder ein Nebenverdienst!» Heutzutage redet hingegen sogar der Bundeskanzler von seinem Job. Frau Tamchina kriegt mittlerweile bestimmt eine Krise, wenn ihr Arbeitskollege nicht sagt: «Seitdem ich meinen Teilzeitarbeitsplatz bei McDonald's aufgegeben habe und diese Vollzeitstelle hier habe, ist es nicht mehr meine Aufgabe zu überprüfen, ob der Drucker seine Aufträge durchführt.» Stattdessen sagt er wohl: «Seitdem ich meinen Job bei McDonald's aufgegeben habe und diesen Job hier habe, ist es nicht mehr mein Job zu schauen, ob der Drucker seine Jobs durchführt.»

Aber nicht nur Anglizismen kommen immer häufiger vor, sondern auch deutsche Wörter im «englischen Stil», die sich über die Synchronisation englischer Filme und Fernsehsendungen wie *Dallas* eingeschlichen haben. Daher wird diese Ausdrucksweise auch als *Dallasdeutsch* bezeichnet. Formulierungen wie «nicht wirklich», «das macht keinen Sinn», «wir sehen uns später», «tu es», «ich habe keine Idee», «das ist ein guter Punkt» oder «wenn ich du wäre» hätten vor einigen Jahren in deutschen Ohren noch komisch geklungen, aber werden heute nicht mehr belächelt. Meistens werden sie nicht einmal als etwas Besonderes wahrgenommen. Für mich persönlich ist dies natürlich von Vorteil, denn so bin ich nicht der Einzige, der beim Deutschsprechen versehentlich manche Sachen direkt aus dem Englischen übersetzt.

Teilweise bringt aber auch mich die Entwicklung des Doinglishen durcheinander. Schließlich bekommen zahlreiche englische Wörter so eine ganz neue Bedeutung: In den USA ist ein *Beamer* der Spitzname für einen BMW, *Handy* heißt eigentlich nur «handlich» und *Mobbing* «sich auf etwas stürzen», wie zum Beispiel bei einem Sommerschlussverkauf. Streng genommen ist ein *Freak* eine «Missgeburt». Am irritierendsten aber finde ich den Gebrauch von *checken*, wie in: «Nee, lass mal, die neue Bedeutung checke ich eh nicht.» Diese neue Bedeutung würde niemand außerhalb des deutschsprachigen Raumes «checken». (Im Englischen heißt es schließlich «kontrollieren», «nachprüfen», «abhaken» oder «aufhalten».) Einmal stellte mich mein Chef einem Mandanten so vor, dass ich mich selbst kaum wiedererkannte. Er sagte: «Herr Bergmann ist Amerikaner. Er spricht zwar Deutsch, aber mit einem amerikanischen Slang.» Im Englischen heißt *Slang* aber «Umgangssprache». Das klang, als ob ich so reden würde: «Weil es heute so viel Doinglish gibt, bin ich totally fed up, wissen Sie, what I'm going on about?»

Manchmal finde ich die Entwicklung des Doinglishen richtig entsetzlich, beispielsweise wenn die deutsche Sprache dadurch so vernachlässigt wird, dass man praktische Wörter vergisst. Wenn ich mich bei neuen Mandanten erkundige, wo die einzelnen Abteilungen sind, wird dies oft durch das Doinglish erschwert.

«Wo ist hier die EDV-Abteilung?»

«So was haben wir hier nicht.»

«Haben Sie denn einen IT-Support?»

«Erste Etage.»

Doch umgekehrt geht es auch. Ein von der englischen Sprache begeisterter deutscher Arbeitskollege fragte bei einem Mandanten: «Benutzen Sie irgendwelche Swaps?» – «So etwas haben wir hier nicht.» Geistesgegenwärtig rettete ich die Situation: «Haben Sie denn Devisentermingeschäfte?» – «Jede Menge.»

Eine Kollegin meinte einmal, dass ein Gesetz noch nicht «live geschaltet» worden sei. Ich vermute, sie meinte, dass das Gesetz noch nicht «in Kraft getreten» sei. Da frage ich mich dann schon, was man im Doinglishen dazu sagen würde, wenn das Gesetz außer Kraft tritt. Wird es dann «tot geschaltet»?

Zum Glück finde ich die Entwicklung des Doinglishen ab und zu auch sehr witzig. Fremdwörter haben oft etwas Exotisches, das so mancher unwiderstehlich findet. Und zugegebenermaßen klingt es in einigen Fällen schnittiger, wie zum Beispiel bei den

Hamburg Freezers (eine Eishockeymannschaft). Die *Hamburger Ge-frierschränke* hätten bestimmt nicht dieselbe Wirkung ...

Das kann allerdings auch nach hinten losgehen. Mein Lieb-lingsbeispiel befand sich um die Ecke von meiner Wohnung. An einem Gebäude stand in Riesenbuchstaben: «ASS SECURITY.» Ich machte sogar Beweisfotos, da ich wusste, dass mir ansonsten niemand zu Hause glauben würde. Die Firma wollte bestimmt als «ASS Sicherheit» angesehen werden, aber dann hätten sie etwas konsequenter mit der Übersetzung sein müssen. So wie es jetzt dort stand, bot die Firma «Arschsicherheit» an. Vielleicht warb sie auch auf diese Weise viele Kunden – allerdings wohl nicht diejeni-gen, die sie haben wollte. Einige Jahre nachdem ich mich von die-sem Schock erholt hatte, sah ich plötzlich viele Autos auf den Stra-ßen Hamburgs, die zum «Ass Team» gehörten. (Auch davon habe ich Beweisfotos.) Man könnte vielleicht behaupten, dass *Team* in-zwischen fast ein deutsches Wort ist, aber «Ass» war in diesem Fall eine Abkürzung von «Athletic Sport Sponsoring»! Also, ich per-sönlich möchte nicht Mitglied dieser Arschmannschaft werden.

Am schlimmsten finde ich die Werbung von Coca-Cola: «It's your Heimspiel.» Mit diesem inkonsequenten Satz zeigt man le-diglich, dass man nicht weiß, wie man «Heimspiel» ins Englische übersetzen soll. Der Anblick des Aldi-Erfrischungsgetränks *River-cola* macht mich auch immer wieder stutzig. Ich meine, wer in Deutschland würde ein Getränk namens *Flusscola* kaufen?

Ich muss gestehen, dass ich meinen Spaß daran habe, Deutsche mit ihrem Gebrauch des Doinglishen auf den Arm zu nehmen. Oft benutzen Deutsche Doinglish, um modern und selbstsicher zu wirken. Daher ist es umso witziger, wenn sie dadurch verunsichert werden – zum Beispiel wenn ich frage, was genau der Unterschied zwischen den folgenden Dingen ist:

▶ Shopping & Einkaufen? Was bedeutet auf Doinglish eigentlich «Frühschoppen»?

- ► Unsinn & Nonsens? Ein sinnloser Unfug.
- ► Bodyguard & Leibwächter? Beides könnte die deutsche Sprache wohl gebrauchen.
- ► Wellness & Wohlbefinden? Mir wird bei dem häufigen Auftritt von «Wellness» unwohl.
- ► Sound & Klang? Der Unterschied ist wohl nur Schall und Rauch.
- ► Button & Schaltfläche? Für den Unterschied brauche ich den Hilfe-Knopf.
- ► Recycling & Wiederverwertung? Ist der Unterschied nicht eher wertlos?
- ► Background & Hintergrund? Vom Background her hat das Wort «Herkunft» auch etwas.
- ► Highlight & Glanzlicht? Nicht gerade der Höhepunkt der deutschen Sprachentwicklung.
- ► Insider & Eingeweihter? Nur die Eingeweihten wissen, wo der Unterschied liegt.
- ► Worst-case & Supergau? Im schlimmsten Fall sagt man «Worst-case».
- ► Canceln & absagen? Canceln könnte man auch stornieren, streichen oder kündigen.
- ► Entführt & gekidnappt? Manche wollen offenbar die deutsche Sprache entführen.

Das Wort «gekidnappt» finde ich am hässlichsten von allen, vielleicht noch übler, als Deutsche das Wort «kidnappiert» fänden.

Eine Arbeitskollegin liebt es besonders, englische Wörter willkürlich im Deutschen zu benutzen. Zum Beispiel bezeichnete sie gerne den am Ausgang einer Firma tätigen urdeutsch aussehenden Sicherheitsdienstmann, der kein Wort Englisch konnte, als den *Security Guard*. Irgendwann fragte ich sie, wie sie denn auf diese Bezeichnung käme, und sie antwortete voller Begeisterung: «So klingt es einfach internationaler!» Als sie beim Prüfen eines Jahresabschlusses zum Ausdruck bringen wollte, dass Unstimmigkeiten aufgetreten seien, sagte sie, dass Fehler «hochgepoppt» seien. Erst als ich sie fragte, ob das nicht vielmehr etwas sei, was ehrgeizige, schlampige Sekretärinnen machen, wurde ihr die Zweideutigkeit dieser Behauptung bewusst.

Bei meiner Firma wird das Wort *Kickoffmeeting* immer beliebter, auch wenn niemand weiß, wieso es eigentlich so heißt. Aus Spaß meinte ich einmal beim Mandanten: «Ich hoffe, das wird hier kein Kick-*out*-meeting werden», und alle schauten mich irritiert an. Ehrlich gesagt, pfeife ich auf den Unterschied zwischen Kickoffmeeting und «Anpfiffbesprechung». Ein anderes neues doinglishes Wort ist das «Tool» (Werkzeug), das als *Stick* bezeichnet wird. Viel putziger wäre doch die genauere Bezeichnung: «Speicherstäbchen». Ich bin gespannt, ob ich dieses Wort durchsetzen kann, wette aber keinen müden Euro darauf.

Einige Deutsche kämpfen mit mir gegen die Entwicklung des Doinglishen an; zum Beispiel eine Freundin von mir namens Petra, die sogar einem Verein zum Schutz der deutschen Sprache beigetreten ist. Dabei merkt sie oft gar nicht, dass sie selbst fließend Doinglish spricht. So blieb ihr auch die Ironie ihrer Antwort auf meine Frage verborgen, wie es bei dem Verein läuft: «Es ist nicht so easy, immer bei den Meetings dabei zu sein, da die mir vom Timing her oft nicht passen.» Ich bin inzwischen fast überzeugt, dass nur noch Englischmuttersprachler «reines» Deutsch sprechen können. Auf den ersten Blick mag diese Behauptung vielleicht keinen Sinn «machen», aber dies ist leicht zu erklären: Wenn wir in unseren Deutschkursen willkürlich englische Begriffe in deutschen Sätzen einbauen, wird unsere Note unweigerlich mit jedem Mal schlechter. Diese sehr effektive Lehrmethode sollte man eigentlich auch bei Deutschen einführen.

Mir ist bekannt, dass es diese Entwicklung nicht nur in Deutschland gibt. Eigentlich wird Englisch in jedem Land der Welt zunehmend wichtiger – ironischerweise abgesehen von den USA, denn dort gewinnt das Spanische immer mehr an Bedeutung.

Natürlich ist diese Entwicklung noch irritierender für die Leute in Deutschland, die Englisch nie gelernt haben. Die Großmutter einer Freundin von mir war über eine Werbung der Deutschen Bahn so frustriert, dass sie an die Geschäftsleitung einen Brief schrieb, in dem sie sich beschwerte, in einem kurzen «deutschen» Text sechzehn englische Wörter gelesen zu haben. Dies hatte dazu geführt, dass sie den Inhalt nicht verstehen konnte. Als sie keine Antwort auf ihren Brief erhielt, fuhr sie persönlich dorthin, um mit dem Verantwortlichen Klartext zu reden. Er sagte ihr, dass man heutzutage Weltoffenheit zeigen müsse, worauf sie erwiderte: «Wenn man echte Weltoffenheit zeigen will, dann sollte man zwei Versionen erstellen: eine in Deutsch und eine auf Englisch. Eine Mischung versteht ja kaum jemand!» Alle Achtung, Oma! Ich kann mir vorstellen, dass der Bahnchef bei diesen deutlichen Worten vom Feeling her ein schlechtes Gefühl hatte.

Wahrscheinlich bin ich einfach neidisch, dass Deutsche ihre Sätze mit so vielen Fremdwörtern aus dem Englischen schmücken können. Ich würde ja auch gern meine englischen Gespräche beliebig oft mit Hilfe meines deutschen Wortschatzes aufpeppen. Obwohl, dann könnte man wohl behaupten: «The English language is being *entführted*.» Wie klingt das?

24   Das CH maCHt miCH schwaCH

Ähnlich wie die Aussprache des englischen TH für viele deutsche Zungen eine Quälerei sein kann, vermag das deutsche CH für Englischmuttersprachler ein Zungenbrecher zu sein. Deutsch und Englisch mögen sprachlich verwandt sein, aber diese Laute sind die schwarzen Schafe der Familie.

In meinem Grammatikbuch hieß es, dass die Aussprache des deutschen CH ähnlich wie die schottische Aussprache im Wort «loch» sei. (Wie der Name der weltweit bekannten eventuell von großen Tieren bewohnten Wassermasse *Loch Ness*.) Leider ist diese Beschreibung für die meisten Amerikaner wenig hilfreich, da jene Aussprache so schleierhaft ist wie das Loch-Ness-Monster selber.

Bis zu meinen Unterrichtsstunden bei Frau Güllicher am Goethe-Institut sprach ich das CH immer gleich aus: hinten im Mund, wie im Wort «Machen». Natürlich fand Frau Güllicher dies verbesserungswürdig. «Herr Bergmann, so klingen Sie wie ein Schweizer. Nichts gegen Schweizer, aber das ist nicht gut.» Dann wurde ich von ihr über die zwei Aussprachemöglichkeiten des CH im Deutschen aufgeklärt. Der CH-Laut wird nur hinten im Mund gebildet, sozusagen aus dem Rachen, wenn er den Vokalen A, O und U folgt. Ansonsten wird er vorne im Mund ausgesprochen, also wenn er den Vokalen Ä, ÄU, E, EI, Ö oder Ü folgt. Deswegen klingt das CH in «Güllicher» ganz anders als in «Aussprache-buch».

Frau Güllicher machte den Eindruck, dass nach ihrer Erklärung eigentlich alles ganz klar sein müsste, aber ich hatte noch Fragen.

«Wie spricht man das CH aus, wenn es einem D folgt, wie in ‹Mädchen›?»

«Vorne im Mund, wie beim Wort ‹ich›.»

«Und was tut man, wenn es dem Buchstabe S folgt, wie im Wort ‹pfuschen›?»

«Wie im Englischen SH.»

«Aber was ist mit ‹matschig›?»

Zum ersten Mal brauchte Frau Güllicher ein paar Sekunden Bedenkzeit, bevor sie sagte: «Dann ist es wie im Englischen Wort ‹Match›.» Aber so leicht gab ich mich nicht geschlagen und fragte sie, wie man einen der Übungssätze aus unserem Buch aussprechen sollte, und zwar: «Ein chaotischer Chilene zweifelhaften Charakters baute ein charmantes Chalet mit einem chamois Dach chinesischen Stils in Chemnitz.» Ihre Antwort: «Das hängt davon ab, wo man in Deutschland aufgewachsen ist.» Mit diesen Worten schob sie mich in Richtung Tür, sodass ich nicht einmal mehr fragen konnte, ob die Aussprache der Schweizer beim CH der eigentliche Grund sei, weshalb die Schweiz oft mit CH abgekürzt wird.

Im Gegensatz zu Frau Güllicher ist den meisten Deutschen nicht bewusst, dass es zwei Möglichkeiten gibt, das CH auszusprechen. Als ich im Herbst 1996 in Göttingen einen Schwedischkurs besuchte, beschwerten sich die Deutschen im Kurs bitterlich darüber, dass gewisse Konsonanten im Schwedischen unterschiedlich ausgesprochen werden, je nachdem, was für ein Vokal davorsteht. Die sonst ruhige Lehrerin wurde bei diesen heftigen Beschwerden sichtlich nervös, bis ich zur Tat schritt, indem ich verkündete, dass es schließlich genau dieselbe Regelung sei wie im Deutschen für das CH. Trotz vieler ähnlicher Beiträge zum allgemeinen Kurserfolg wurde ich im Laufe des Kurses bei den Deutschen irgendwie immer unbeliebter.

Nach einem Semester in Göttingen dachte ich, dass ich die Aussprache des CH-Lauts einigermaßen beherrschte. Dann zog ich nach Hamburch, wo man «guten Tach» sacht. Es wird oft behauptet, dass das «beste» Deutsch in Hannover gesprochen wird. Zuerst merkte ich gar keinen Unterschied zwischen den Städten mit den Autokennzeichen «HH» und «H» und dachte, ich würde auch vorbildlich sprechen. Aber dann bekam ich eines Tages einen Brief, der an «Herrn Berchmann» adressiert war. Er kam von einem süddeutschen Geschäftsmann, mit dem ich bislang nur telefonisch Kontakt gehabt hatte. Meine Aussprache war wohl etwas «frachlich» geworden. Leider wurde der Wech zurück zu einer richtigen Aussprache des G-Lauts etwas «schwierich», da das hochdeutsche G manchmal wie ein CH klingen soll, aber manchmal eben auch nicht.

Obwohl mein Deutsch im Laufe der Zeit in Hamburg tatsächlich besser wurde, hatte ich immer noch Probleme mit Wörtern wie *Streiktaktik, hektisch* und *Technik*, die ich manchmal wie «Streichtachtich», «hechtisch» und Technich» aussprach. Dies lag wohl an einer gewissen Überkompensation meinerseits. Man ist in einer Fremdsprache dermaßen damit beschäftigt, bloß keinen der fremden Laute zu übersehen, dass man sie sogar einsetzt, wenn sie nicht angebracht sind.

Somit löste ich auch ein Rätsel, das Englischmuttersprachler seit langem beschäftigt: Warum neigen Deutsche dazu, den englischen V-Laut mit dem englischen W-Laut zu ersetzen? Auch Deutsche, die blendend Englisch können, sagen oft «Willage» statt *Village*, «Wideo» statt *Video* und «Wegetables» statt *Vegetables*. Dabei gibt es den englischen W-Laut im Deutschen gar nicht! In Hamburch hatte ich die Lösung gefunden: Die Deutschen sind dabei einfach zu «fleißich»!

—

Im März 1997 schwebte nicht nur mein CH-Unterscheidungsvermögen in Gefahr, sondern auch die Sicherheit meines Schlafplatzes am Standort Deutschland. Mit dem Ende meines Praktikums kam nicht nur ein fester Vertrag mit einer leichten Gehaltserhöhung, sondern auch das Ende meiner Zeit im möblierten Praktikantenzimmer. Bedauerlicherweise kam es für mich nicht in Frage, als Nichtpraktikant in der praktischen möblierten «Prakti-Wo» zu bleiben, denn die Monatsmiete wäre nun viel zu hoch gewesen, nämlich weitaus mehr als die gesamte Miete meiner fünf Monate bei Frau Wilbärt in Göttingen. Und die Firma bezahlte die Miete der «Prakti-Wo» nur, solange man noch offiziell Praktikant war. Plötzlich vermisste ich die gute alte Frau – bis auf ihr vermieterliches Kichern natürlich.

Sobald also feststand, dass ich fest angestellt werden würde, begab ich mich wie gewohnt in eine Telefonzelle, um auf Wohnungssuche zu gehen. Und wie gewohnt hatte ich erst Glück, als ich eine ältere Dame anrief, die ein möbliertes Zimmer zu vermieten hatte. Auch wenn die Dame mich nicht von der Telefonzelle abholte, fand ich das Zimmer bei ihr sehr passend für mich. Frau Lülläu wurde innerhalb kurzer Zeit für mich wie eine Schwester – aber leider nicht wie meine Schwester, sondern wie eine Schwester von Frau Wilbärt. Die Ähnlichkeiten, welche die beiden aufwiesen, waren schon ziemlich frustrierend …

Die Wohnung war eine sehr schöne Altbauwohnung im beliebten Stadtteil Eppendorf, unweit vom Klosterstern. Leider waren die Hausregeln strenger als im Kloster. Da die Wohnung riesig war, wurden einige der Zimmer untervermietet. Neben mir wohnte ein Geschäftsmann, und im nächsten Zimmer wohnte eine Frau, die ich nie sah – Frau Lülläu hatte sie offenbar inzwischen gut erzogen. Nur die Küche, den Flur und das Badezimmer teilten wir uns. Das Badezimmer war eine heikle Sache. Wenn ein Mieter zu lange auf dem stillen Örtchen verweilte, konnte es vorkommen, dass Frau

Lülläu ein Wörtchen mitzureden hatte: «Machen Sie sich schnell fertig, oder ich mache Sie fertig!» Das Einzige, was sie wirklich teilen wollte, war offensichtlich ihre Meinung. Hin und wieder fand Frau Lülläu auch ein Haar in der Dusche – eins von mir. So sind wir uns immer wieder in die Haare geraten, und um ein Haar wäre ich aus der Wohnung geflogen!

Eigentlich konnte Frau Lülläu auch ganz lieb sein. An einem Tag im Mai lud sie mich sogar auf ein Glas Rotwein ein. Der Anlass war der Besuch einer Verwandten von ihr aus einem Dorf in der Nähe von Hamburg. Obwohl diese Dorfdame nur indirekt mit Frau Lülläu verwandt war, war sie zu mir doch sehr direkt und stellte mir allerlei penetrante Fragen: Zuerst wollte sie wissen, ob ich studiert hatte. Ich antwortete, dass ich nicht nur studiert, sondern dass mein Studium sechzigtausend Dollar gekostet hatte. Auf ihre nächste Frage war ich allerdings nicht eingestellt: «Haben alle Studenten an der Uni so viel bezahlen müssen oder nur Sie?»

Dann fragte sie mich, was ich beruflich mache. Ich war unsicher, was die treffende Übersetzung für *Certified Public Accountant* war, denn streng genommen war ich doch kein deutscher Wirtschaftsprüfer. Also sagte ich: «Ich bin Buchhalter.» – «Herr Bergmann, Sie haben vier Jahr studiert und zigtausend Dollar bezahlt, nur um Sachbearbeiter zu werden?» Weil ich mir nun dachte, dass ich ja in der Tat Sachen bearbeitete, bejahte ich dies. Meine Antwort wurde von ihr mit nur wenig Begeisterung empfangen. Etwas rot im Gesicht entschied ich mich dann doch, meine Bedenken in den Wind zu schlagen und sagte: «Ich meine, ich bin Wirtschaftsprüfer!» An ihrem Blick bemerkte ich, dass dies vielleicht doch etwas Z U positiv war. «Herr Bergmann, Wirtschaftsprüfer sind wie Zahnärzte: teilweise schmerzhaft, aber oft notwendig. Man kommt um beide nicht herum, und sie sind im Allgemeinen nicht sonderlich beliebt, aber man ist stolz darauf, wenn es einen in der Familie gibt.»

Trotzdem waren weder Frau Lülläu noch die Dorfdame sich

ganz sicher, was ein Wirtschaftsprüfer eigentlich macht. Leider konnte ich es ihnen nicht so ohne weiteres kurz und verständlich beschreiben. Abends überlegte ich mir, wie ich am besten Nichtfachkundigen den Beruf auf Deutsch erklären sollte. Als ich in einer Fachzeitschrift las, wie Wirtschaftshaie Unternehmen übernehmen, fiel mir Folgendes ein: Als Anwalt muss man unter Zeugen überzeugen, als Soldat unter Fallen überfallen, als Anlageberater unter Weisen überweisen – und als Wirtschaftsprüfer muss man unter Listen überlisten. Am nächsten Tag erklärte mir ein Arbeitskollege, dass in Deutschland der Weg zum Wirtschaftsprüfertitel viel länger und anspruchsvoller sei als in den USA. Ich überlegte, ob ich dies der Dorfdame erklären sollte, aber dann dachte ich mir: Was sie nicht weiß, macht MICH nicht heiß.

Mit telefonischen Nachrichten nahm es Frau Lülläu nicht so genau, da sie ungern Notizen auf einem Blatt Papier machte. So kam es vor, dass sie zu mir sagte, als ich nach Hause kam: «Herr Bergmann, jemand hat für Sie angerufen. Wer es war, weiß ich nicht mehr, aber es wäre wichtig, und Sie sollten zurückrufen.» Andererseits nahm sie kein Blatt vor den Mund, was ihre Meinung über mich anging: «Herr Bergmann, ich mag Ihren amerikanischen Akzent nicht, weder wenn Sie Deutsch noch Englisch sprechen. Britisches Englisch gefällt mir viel besser.» Auch wenn sie zu sagen pflegte, dass man «nicht päpstlicher als der Papst» sein musste, hinderte sie dies offenbar nicht daran, hinsichtlich der englischen Sprache «queenlier als die Queen» zu sein. Glücklicherweise wusste ich mich zu wehren: «Ich weiß ganz genau, was Sie meinen, Frau Lülläu: Ich muss mich ja auch damit abfinden, dass Sie keine wunderschöne schweizerische Aussprache haben.»

In Wahrheit mochte ich viele deutsche Mundarten, aber die Aussprache der Schweizer gefiel mir tatsächlich am besten, und ich wollte Frau Lülläu damit ein wenig ärgern. Ich hatte zu der Zeit einige nette Leute an der Universität kennengelernt, unter anderem einen Schweizer namens Bodo, der gerade mit seiner Doktorarbeit begonnen hatte. Seine Doktorarbeit umfasste das Vergleichen und Entziffern von diversen unvollständigen mittelalterlichen Handschriften in lateinischer Sprache, die wiederum alle eine Kopie einer noch älteren Handschrift waren. Bodos Aufgabe dabei war festzustellen, wie die ursprüngliche Handschrift wohl ausgesehen hatte. Es war außerdem sein Ziel, die Doktorarbeit erfolgreich abzuschließen, bevor er selber mittleren Alters war.

In Bodos Institut waren Doktoranden aus ganz Europa, die meisten aus Italien und Griechenland. Obwohl diese Kommilitonen sehr unterschiedlich waren, hatten sie eines gemeinsam: Sie waren alle der Meinung, dass Bodo das wohlklingendste Deutsch sprach. Daher war es für uns unverständlich, dass er selbst dieses Thema gar nicht mochte. Er wollte nur nicht auffallen. Deshalb reagierte er auch ganz verstimmt, als eine hübsche Studentin ihm auf einer Party wegen seiner Aussprache ein Kompliment machen wollte. Um Bodo zu zitieren: «Der schnellste Weg, sich einen Schweizer zum Feind zu machen, ist, seinen Akzent nachzuahmen!» Ich hingegen benahm mich ganz anders im Gespräch mit jener Studentin, aber leider fand sie meinen amerikanischen Akzent um einiges weniger sympathisch ...

Im Juni 1997 fuhren Bodo und ich mit fünf Studenten aus dem Aiesec-Programm der Hamburger Universität nach Amsterdam. Dort angekommen, machten Bodo und ich uns als Erstes auf die Suche nach Museen, die nichts mit moderner Kunst zu tun hatten. Währenddessen begaben sich die fünf anderen schnurstracks auf die Suche nach «Marihuana-Muffins». Leider hatte wohl der Koch in einem passenden Café vor seiner Schicht selbst einen Muffin zu viel verzehrt ... Meine Beweise? Ungefähr dreißig Minuten nachdem die fünf Studenten die letzten Krümel aufgegessen hatten, beklagten sich vier von ihnen bitterlich, dass sie gar nichts merkten.

Die Fünfte hingegen lag auf dem Boden, wo sie eloquent und prägnant ihre Gefühlslage beschrieb: «Ich sterbe.»

Ich war sehr froh, dass Bodo mir so oft mit deutschen Redewendungen behilflich sein konnte. Zum Beispiel erklärte er mir auf dem Weg zurück von Amsterdam im Zug: «David, es mag ‹Jacke wie Hose› heißen, aber wenn man sagt, etwas ‹könnte in die Jacke gehen›, dann ist es in die Hose gegangen. Ebenfalls mag es ‹gehupft wie gesprungen› heißen, aber sprachlich kommt man nicht sehr weit, wenn man behauptet, man sei gerade ‹auf dem Hüpf›.» Darüber hinaus erläuterte er: «Eine Irreführung ist nie eine irre Führung, ein Tollhaus ist selten ein tolles Haus, und ein Spitzbube ist nie ein spitzer Bube.» Für mich war Bodo in jedem Fall ein spitzenmäßiger Bube.

Zu der Zeit wohnte Bodo in einem unheimlichen Studentenwohnheim neben einem Irrenhaus. Diese Wohnsituation war zwar unangenehm für ihn, aber eine Wohnung für sich allein konnte er sich nicht leisten, da sein Stipendium so bescheiden war. Im Sommer 1997 fragte mich Bodo daher, ob ich nicht Lust hätte, eine Wohngemeinschaft mit ihm zu bilden – eine WG, wo im WC Frieden herrscht und man sich nicht in den Haaren liegt. Ich konnte mir vorstellen, dass wir sehr gut zusammenpassen würden, da ich sogar für schweizerische Verhältnisse sehr ordentlich bin. In der Schweiz ist Ordnung das A und O. Oder wie Bodo zu sagen pflegte: «In der Schweiz wird selten etwas verbaselt.» Obwohl nun der Herbst nahte, wurde es in meinem Herzen bei den Gedanken an eine freundliche Wohngemeinschaft in Hamburch wieder Frühling.

25   Von «So la la» bis hin zu «Ooh la la»

Auch wenn die englische Sprache den deutschen Sprachraum immer fester im Griff hat, geben manche Franzosen den Guerillakampf der Sprachen nicht auf. In Hamburg lernte ich auf einer Studentenparty eine formidable Französin namens Claire kennen. Claire machte mir schon bei unserer ersten Begegnung klar, dass sie eine Abneigung gegen die USA hatte, und nicht nur das: Gegenüber Engländern könnte sie den Hundertjährigen Krieg nicht einmal nach 500 Jahren vergessen, die Belgier wären unterbelichtet, die Schweizer zu wohlhabend, die Italiener zu freundlich (besonders zu Nichtfranzosen), und nach drei Kriegsniederlagen käme es natürlich auch nicht in Frage, den Deutschen gegenüber eine liebende Einstellung zu entwickeln. Aus Neugier fragte ich Claire, ob es überhaupt ein Land gebe, das die Franzosen mochten? Als ich sah, wie ihre Lippen begannen, ein «Q» zu formen, fügte ich schnell hinzu: «Außer Quebec!» Einige Minuten später sagte sie zögerlich: «Schweden finden wir ganz nett.» Als sie dann allerdings anfing, mit einem verträumten Blick von großen, starken blonden Schweden zu schwärmen, bereute ich schon, die Frage überhaupt gestellt zu haben.

Claire fand darüber hinaus auch die Entwicklung der Fremdwörter im Deutschen unsympathisch: «Heutzutage ist der Chef der *Boss*, der Bankier der *Banker*, die Fusion der *Merger*, das Etikett das *Label*, die Fete die *Party* und der Jour fixe ein tägliches *Meeting*. Am schlimmsten aber ist, dass Französisch jetzt nicht einmal mehr passé ist, sondern out!» Eigentlich war Claire eine sehr liebenswürdige Frau, und sie mochte Fremdsprachen gern, aber ich werde ihre Reaktion nie vergessen, als sie feststellte, dass im Deutschen Französisch als eine «indoGERMANISCHE Sprache» bezeichnet wird. (In anderen Sprachen heißt das «indoeuropäisch».)

So wie die meisten Franzosen hatte auch Claire leichte Probleme mit der deutschen Aussprache, was vielleicht am deutlichsten wurde, als sie sagte: «Oh la la, ein großer Affengeburtstag!» Verblüfft schaute Claire in die lachende Runde: «Was ist mit euch los? Was ist daran so witzig, dass es jedes Jahr einen Riesenaffengeburtstag in Amburg gibt?» Das Lachen wurde umso lauter. Für viele Franzosen ist das H in der Tat eine stumme Kreatur, was Deutsche «zum Eulen» komisch finden. Um Claire zu besänftigen, sagte Petra zu ihr: «Ach, Claire, mache dir keine Sorgen. Du hast einen eleganten und charmanten Akzent.» Dieses Tête-à-Tête belauschend, schaute ich Petra wie ein kleines Kind an und zupfte an ihrem Ärmel. Sie warf mir einen wohlwissenden, aber widerwilligen Blick zu: «Na ja, deiner ist aber weder elegant noch charmant, der ist höchstens cool.» Immerhin etwas.

Auf der Suche nach einem eigenen Domizil für Bodo und mich schaute ich zuerst in die Annoncen, wo ich schnell merkte, dass man ganz genau aufpassen muss, sollte auf dem Wohnungsmarkt etwas einen französischen Klang haben. Wie es scheint, versuchen die Deutschen gern mit einem Hauch von französischer Eleganz etwas Unangenehmes zu verschleiern. (In anderen Worten: Wenn es nach «Oh la la» klingt, dann ist es meistens nur «so la la».) Das beste Beispiel dafür ist die «Courtage». Eigentlich könnte es auf gut Deutsch «Maklerprovision» heißen, aber dann würde sie ja fast so schmerzhaft klingen, wie sie tatsächlich auch ist. Streng genommen sollte es im Deutschen entweder «Maklergebühr» oder «Viel Geld für nichts» heißen. Ja, man braucht viel Courage, um diese zusätzlichen Kosten in Kauf zu nehmen. Bei tageslichttauglichen Wohnungen müssen die Makler bloß die Tür aufschließen und anschließend das Geld einheimsen.

Andere Beispiele von Euphemismen, die bei Mietern wenig Euphorie hervorrufen:

▶ «französischer Balkon»: Es passen nur kleine französische Füße darauf.

▶ «Maisonette»: Ein ständiges Rauf und Runter.

▶ «Hochparterre»: Mehr oder weniger auf Straßenebene.

▶ «Parterre»: Fast im Keller.

▶ «Souterrain»: Im Keller.

Nach einigen Stunden mit der Zeitung erkundigte ich mich bei einem Immobilienmakler; doch dies hätte vielleicht lieber Bodo tun sollen, denn die Missverständnisse fingen schon bei der ersten Frage des Maklers an: «Welches Hamburg sollte es sein?» Nach meiner Antwort spürte ich das Kopfschütteln am anderen Ende der Telefonleitung: «Das Hamburg hier in Norddeutschland.» Aber wie konnte ich wissen, dass er dabei die Postleitzahl meinte? Bei seiner nächsten Frage wurde es nicht viel besser: «Herr Bergmann, suchen Sie eine Altbauwohnung oder eine Neubauwohnung?» Meine Antwort: «Etwas dazwischen.» So ging es weiter:

«Herr Bergmann, was die Miete anbelangt, können Sie mir vielleicht eine Hausnummer nennen?»

«Ich hätte gerne eine runde Hausnummer wie 100. Das kann man sich ja gut merken.»

«Herr Bergmann, wie viel Aufwand wollen Sie in der Wohnung selbst treiben?»

«Nicht viel, ich habe noch keine Poster oder Bilder, die ich auf die Wand tun will.»

Und schon war das Gespräch zu Ende. Genügend Ahnung hatte ich offenbar IMMER noch nicht – und ich habe ihn noch nicht einmal fragen können, wieso man *Jugend*-stil nur in einem *Alt*-bau findet.

Unsere Wohnung musste nicht unbedingt Parkett haben. Claire hatte das schon, und nachdem sie sich entschieden hatte, diesen sehr glatten Fußboden verlegen zu lassen, kam sie auch schnell ins Schleudern. Passenderweise lag die Wohnung auch noch in einer Straße namens *Rutschbahn* unweit der Universität Hamburg. Hier wünscht man sich wohl täglich «einen guten Rutsch» … Claire fand es in ihrer neuen Wohnung nicht ganz leicht, immer bodenständig zu bleiben. Es wurde bei ihr nicht nur ein «Gleitzeitprogramm» eingeführt, sondern die Läufer aus ihrer alten Wohnung wurden zu fliegenden Teppichen. So etwas wollten wir nicht.

Nach einiger Zeit fiel mir auf, dass unweigerlich «balkonisiert» wird, wenn man über Wohnungen in Deutschland diskutiert. Sobald eine Wohnung mit einem Balkon auf den Markt kommt, herrschen bei dem Kampf darum Zustände wie auf dem Balkan. Außerdem gibt es in Deutschland offenbar einen Balkon-Code. So wird immer ausdrücklich betont, wenn ein Balkon ein Südwestbalkon ist. Die Muslime suchen einen Platz Richtung Südosten, wo sie Richtung Mekka beten können, die Christen in Deutschland hingegen suchen einen Platz Richtung Südwesten, wo sie den Wettergott anbeten können.

Bodo und ich schauten uns über mehrere Wochen viele Wohnungen an. Am traurigsten waren für mich die Wohnungen, die wir haben wollten, die uns jedoch nicht haben wollten. Bei einigen von den besseren Wohnungen sind wir in der großen Masse der Wohnungssucher schlicht und einfach untergegangen. Bei den etwas weniger heiß begehrten Wohnungen scheiterten wir dann an den Vermietern: Einige wollten partout keine Männer-WG, andere wollten keine Ausländer, auch wenn man uns als Deutschschweizer und Nordamerikaner eindeutig noch als «gute» Ausländer einstufte. Und was ich überhaupt nicht nachvollziehen konnte, war, dass einige Vermieter uns nicht haben wollten, weil wir zu sehr wie ein Anwalt und ein Lehrer aussahen …

Letztendlich entschloss sich Bodo, selbst eine Anzeige aufzugeben. Er schrieb: «Doktorand und Wirtschaftsprüfungsassistent mit festen Stellen suchen eine preisgünstige Dreizimmerwohnung.» Noch am Tag des Erscheinens der Anzeige rief eine Vermieterin an, die uns eine passende Wohnung zeigte. Ich hätte nicht gedacht, dass es so einfach sein könnte! Es machte uns auch nichts aus, dass die Wohnung am Anfang nicht sonderlich wohnlich war – wir fühlten uns dort dennoch sofort heimisch.

Was ich bis dahin nicht gewusst hatte, war, dass eine Wohnung in Deutschland, wenn sie nicht als «möbliert» bezeichnet wird, dann auch echt leer ist. In den USA hat man wenigstens einen Kühlschrank und einige Glühbirnen. Bodo schlug vor, zu IKEA zu fahren, worauf ich ihn fragte, ob man nicht *nach* IKEA fährt. Aufgrund einiger Autobahnausfahrtschilder dachte ich nämlich, dass IKEA eine Vorstadt sei. Bodo erklärte: «IKEA ist ein Möbelladen. Deswegen fährt man *zu* IKEA.» IKEA mag ein Weltkonzern sein, aber in den USA hatte er bis in die Neunziger kaum Fuß gefasst. Nicht vielen Deutschen ist bekannt, dass kein Land der Welt so viele IKEA-Läden wie Deutschland hat.

Bei IKEA begegnen einem neben vielen preiswerten Möbeln mit lustigen Namen vor allem zahlreiche streitende Paare. Deutsche leben viel eher in «wilder Ehe» in einer «Pärchenwohnung» als Amerikaner. Dafür heiraten sie vergleichsweise später. Bei meinem ersten IKEA-Besuch wurde mir einiges klar: Statt einer Verlobungszeit müssen Paare in Deutschland eine «Beziehungshärteprobe» durchmachen: Sie fahren an einem Samstag zusammen zu IKEA, wo sie miteinander und ein paar hundert anderen Pärchen kämpfen. Die Entscheidung, was man kaufen soll, wie man mehr als gesetzlich erlaubt ins Auto presst und anschließend ein Möbelstück aus zigtausend Einzelteilen zusammenbaut, ist wohl der deutsche «Pärchenkompatibilitätstest». Wenn die Beziehung IKEA übersteht, dann steht ihr nichts mehr im Wege.

Kurz nachdem Bodo und ich in die Wohnung eingezogen waren, schaute der missmutige Nachbar Herr Ähinger vorbei, der in der Wohnung unter uns wohnte. Er wollte uns auf die Hellhörigkeit des Gebäudes hinwiesen. Wenn in einem hellhörigen Haus die Nachbarn von oben laut sind, dann leidet man im wahrsten Sinne des Wortes *darunter*. Und wenn jemand in so einem Hause laut nach Hause kommt, wird nicht nur die Wohnung hellhörig, sondern auch die Nachbarschaft. Das Wort «hellhörig» prägte sich bei mir besonders ein, da wir im Englischen so einen bildlichen Ausdruck nicht haben. (Da gibt es nur *poorly soundproofed*.)

Meiner Erfahrung nach gibt es im Deutschen folgende Einstufungen:

► «Totenstill»: Die Wohnung ist Gold wert.

► «Dunkelhörig»: Die Wohnung geht noch.

► «Hörig»: (Dies ist ein Thema für ein anderes Buch ...)

► «Hellhörig»: Die Wohnung ist zu laut.

► «Höllehörig»: Au weia!

► «ellörig»: Die Wohnung von Claire.

Der erste Besuch des Nachbarn war leider nicht der letzte. Aus angeblich gegebenem Anlass kam Herr Ähinger bald wieder, um uns auf die «Heiligkeit» der Ruhezeiten hinzuweisen. In den folgenden Wochen stellte ich fest, dass der 45-jährige arbeitslose Fensterputzer aufgrund seiner Arbeitslosigkeit relativ viel Zeit hatte, um sich seinen Hobbys zu widmen: sich rasieren, sich nicht rasieren, seine Frau anschnauzen und den Hund seiner Frau anschnauzen. Seine Lieblingsphrase war offenbar: «Immer mit der Ruhe!» Besonders stolz war Herr Ähinger auf seinen Geschäftssinn. Schließlich hatte er herausbekommen, dass er durch Arbeitslosengeld und Schwarzarbeit viel mehr verdienen konnte, als durch «Nichtschwarzarbeit». Aus mir unerklärlichen Gründen wusste er es jedoch offensichtlich nicht zu schätzen, dass meine erheblichen Sozialabgaben dazu beitrugen, dass er seinen Lebensstil der Muße fortführen konnte. Zuerst versuchten Bodo und ich, ihm gegenüber freundlich zu sein. Doch wir lernten schnell, dass es keine gute Idee war, ihn zu fragen, wie die Arbeitssuche laufe. Anscheinend lief es seit dem Anfang der Helmut-Kohl-Regierung schlecht. Kohl kam 1982 an die Macht ...

Dieser unerwünschte Gast zeigte einige für mich wirklich unverständliche Gesten; doch zum Glück konnte Bodo die schleierhaften Signale deuten und mich somit aufklären. «Wenn Herr Ähinger seine leicht gebeugte Hand mit der Handfläche vor seinen Hals hält, und behauptet, dass er ‹so einen Hals habe›, heißt das nicht, dass er Halsschmerzen hat, sondern sauer ist. Wenn er schreit, dass er ‹die Nase voll habe›, heißt das nicht, dass er erkältet, sondern vielmehr sauer ist.» Ich hörte Bodo gespannt zu. «Wenn Herr Ähinger mit seinem Zeigefinger gegen die Schläfe klopft, heißt das nicht, dass er Kopfschmerzen hat, sondern der Meinung ist, doch nicht blöd zu sein.» Und es ging noch weiter: «Wenn er sagt, dass ihm der Kragen platzt, heißt das nicht, dass er zu viel gegessen hat, sondern dass er wütend ist. Und wenn er mit seiner offenen Hand wie mit einem Fächer vor seinem Gesicht hin und her winkt, heißt das nicht, dass er selbst blind ist, sondern der Meinung ist, sonst jemand sei blind.»

Herr Ähingers Nebenjob, den er ehrenamtlich ausführte, bestand darin, sicherzustellen, dass jemand uns andonnerte, sollten wir während der Ruhezeiten piepsen. Das Konzept «Ruhezeiten» kannte ich bis dahin nicht, da es so etwas in den USA nicht gibt. Mir wurde dennoch sehr schnell bewusst, dass in Deutschland die Ruhezeiten von 13 bis 15 Uhr und von 22 bis 7 Uhr sind. Zunächst dachte ich noch, dass dies heißen würde, dass man keine wilden Partys in der Zeit veranstalten dürfe. Aber der Nachbar schaute nahezu jedes Mal vorbei, wenn wir staubsaugten, Wäsche wuschen oder uns duschten. Da der ganze Sonntag ein Ruhetag ist, fürchtete ich, bei jeder Sonntagsdusche unangenehmen Besuch zu bekommen. Schließlich sah Herr Ähinger auch so aus, als ob er der Meinung wäre, dass das tägliche Duschen völlig überbewertet sei.

Glücklicherweise konnten wir nach einiger Zeit des Streits ein Friedensabkommen abschließen: Wir würden es in Kauf nehmen, wenn er freitags seine Stereoanlage hochdrehte (um das Ende einer harten Woche des Nichtarbeitens zu feiern) oder wenn er morgens seine Frau laut aufwecken würde (mit Klassikern wie: «Ich hab Hunger, Hunger, Hunger! Aufstehen und Essen holen!»). Er hingegen würde es dulden, wenn wir während der Ruhezeit gewisse Dinge sauber machen würden, zum Beispiel uns selbst.

Wir mussten Herrn Ähinger auch versprechen, unsere uralte Waschmaschine zu entfernen. Bodo und ich sahen ein, dass zumindest diese Anforderung gerechtfertigt war; es wackelte doch das ganze Gebäude, wenn die Waschmaschine zu schleudern anfing. Obwohl die Wohnung ursprünglich unmöbliert war, stand sie beim Einzug als einsames Ding darin. Dies lag nicht an irgendeiner Großzügigkeit der Vormieter, sondern vielmehr daran, dass die Waschmaschine mehr als ein Kesselwagen wog. Wir hegten zudem die heimliche Befürchtung, dass die Grünen, die kurz zuvor als Koalitionspartner mit an die Regierung gekommen waren, uns auf die Waschmaschine ansprechen würden wegen der Belastung, welche diese auf Naturschutzgebiete in Hamburgs Umgebung ausübte.

Über die neue Waschmaschine freuten sich nicht nur Herrn Ähinger und die Tiere der gebeutelten Schutzgebiete, sondern auch Bodo und ich. Der Markenname unserer Neuerwerbung war nicht umsonst «Meisterstück», denn im Gegensatz zu den meisten amerikanischen Waschmaschinen, welche große Toplader sind, war sie ein typischer, kleiner, effizienter Frontlader, der sparsam mit Energie und Wasser umging. Bei einer Schnäppchenjagd gelang uns dieser Glücksgriff im Sonderangebot bei Karstadt in der Nähe – vor allem, weil im Angebot nicht nur die günstige Lieferung, sondern auch das kostenlose Abholen und Entsorgen der alten Maschine inbegriffen waren. Trotz meiner Erleichterung überkam mich ein wenig das schlechte Gewissen, als ich zusah, wie die drei Männer des Karstadt-Lieferdienstes die alte Waschmaschine aus der Wohnung hievten: Der erste beschwerte sich, dass er dafür bezahlt würde, Waschmaschinen zu transportieren und nicht Tresore. Der zweite fragte uns, ob wir über die Jahre etwa Steine damit gewaschen hätten. Und der dritte trug dazu bei, dass mein Deutschwortschatz um etliche Schimpfwörter ergänzt wurde.

Und so neigte sich mein erstes Jahr in Deutschland dem Ende zu. Nun war ich in dem Land meiner Vorfahren bei weitem noch keine große Nummer, aber immerhin war ich auf gutem Weg, ein 08/15-ausländischer Mitbürger zu werden!

Oh la la!

26 Auf Wiedergucken

Im Deutschen gibt es viele Möglichkeiten, sich von anderen zu verabschieden. Im Goethe-Institut in Chicago lernten wir leider nur «Auf Wiedersehen» – was ich jedoch kaum in der deutschen Alltagssprache höre. Stattdessen sagt man vielmehr: Bis nachher, Man sieht sich, Bis dann, Lebe wohl, Mach's gut, Bis die Tage, Wir sehen uns, Bis bald, Ciao, Bis demnächst, Tschüs, Bis später, Tschüsi, Bis dahin oder Bye-bye. Und nach Telefongesprächen kommt sogar oft ein erstaunlich schnell ausgesprochenes «Alsobisspäterwirhörenvoneinandertschüüüüs!» vor.

Hiervon je nach Situationen den passenden Gruß zu wählen ist für Nichtmuttersprachler gar nicht so einfach wie «Auf Wiedersehen». Zum Beispiel kann man nicht, wie ich jahrelang dachte, immer «Bis später» sagen. (Dies darf man im amerikanischen Englisch sehr wohl.) Es dauerte auch lange, bis ich merkte, dass man nicht jedem «Lebe wohl!» sagen sollte. Schließlich bedeutet dies in vielen Fällen ungefähr so viel wie «Auf Nimmerwiedersehen!». Ferner merkte ich erst nach einigen bösen Blicken, dass man im Süden «Tschüs!» nur zu den Leuten sagt, die man gut kennt. Allerdings könnte man dort «Ciao, Bella!» sagen, aber nur, wenn man wie Don Juan aussieht – was ich leider nicht tue.

Aber alles hat ein Ende, sogar eine Wurst. Und beim Abschied im Deutschen darf man nicht auf den Mund gefallen sein. Damit dieses Ende «happy» ist, schließe ich mit einigen Wörtern, welche die deutsche Sprache NOCH witziger machen könnten:

demuttiviert Was man wird, wenn man nicht mehr bei Mutti wohnt.

Mampframsch Mit diesem Wort braucht man das Wort «Junkfood» nicht mehr.

stehkrank Was man wird, wenn man im ICE keine Platzreservierung hat.

Danebenbuhler Ein Nebenbuhler, der es nicht schafft.

Frauenmissversteher Was viele männliche «Danebenbuhler» sind.

entdoofen Eine Sache so ändern, damit es nicht mehr blöd ist.

anknabberbar Was gute Schnitten und Schnittchen jederzeit sind.

Plattmachmobil Etwas bildhafter als «Panzer».

Partypate Ist einen Tick schneidiger als ein Salonlöwe.

Mitternachtsmuffel Was ein Partypate niemals ist.

Wannewonne Das herrliche Gefühl in der eigenen Badewanne.

tatensatt Was man ist, wenn man keinen Tatendrang mehr verspürt.

memmenmäßig Wie ein Angsthase sich benimmt.

hasenclever Was spricht eigentlich dagegen?

Aber auch wenn man nicht immer «hasenclever» sein kann, sollte man zumindest wissen, wo der Hase langläuft oder ob er einfach im Pfeffer liegt, und wenn ja, wo. Besonders wenn es um die Wurst oder die Sprache geht.

Viele Deutsche haben mich über die Jahre gefragt, wie es ist, Deutsch als Fremdsprache zu lernen. Ich fasse es mal so zusammen: «Es ist, als wenn man mit einer BMW 7er auf Glatteis fährt: Man ist sich dessen bewusst, etwas Starkes in der Hand zu haben, aber die komplette Kontrolle fehlt.»

Ich hoffe, dass dieses Buch es schafft, mehr Deutsche davon zu überzeugen, dass Deutsch doch eine unterschätzte Sprache ist. Und ich würde mich freuen, wenn ich fortan Folgendes viel häufiger hören würde: «Mensch, das war ja witzig! Typisch deutsch eben!»

Dank

Auch wenn es viel Freude bringt, ist es nicht immer so ganz einfach, ein Buch in einer Fremdsprache zu schreiben. Daher bin ich für die Unterstützung und Inspiration vieler Freunde sehr dankbar. Ein ganz besonderes *Dankeschön* möchte ich an dieser Stelle den folgenden Leuten aussprechen:

Joe Bergman, Kirsten Brünn, Gyllis Das Gupta, Johannes und Monika Enneking, Andreas Fleck, Tom Fussell, Karl-Heinz Haas, Inken Hahnemann, Christiane Horn, Claudia Ipsen, Kirsten Jessen, Hartmut Karottki, Angela Kopp, Rasha Khayat, Anja Lauterbach, Chapin Landvogt, Charles Mescher, Christina Moll, Natalie Molter, Daniela Müller, Bodo Näf, Angela Rosin, Martina Pfau, Alexandra Rickert, Nina Stahmer, Julia Suchorski, Andrea Winter.

Jutta Limbach:
Ausgewanderte Wörter

Finnen machen eine Kaffepaussi, Japaner pflegen ihre noirooze, Russen geraten in Zeitnot und Ägypter rufen: Ferkig! Deutsche Wörter tauchen überall auf der Welt im alltäglichen Sprachgebrauch auf. Dieses Buch präsentiert die schönsten Ausreißer mit vergnüglichen Erläuterungen zu Ursprung, Reiseroute und Geschichte. rororo 62353

Neues für Wortjongleure
Viel zu Wissen, viel Vergnügen

David Bergmann: Der, die, was?

Ein Amerikaner, der Deutsch lernt, ist kaum zu beneiden: Nicht nur dass die Sprache für das englische «you» sieben Alternativen bietet, es gibt auch zwölf Möglichkeiten der Pluralbildung. David Bergmann schildert die Fallstricke, aber auch die Schönheiten des Deutschen erstmals aus der Sicht eines Nichtmuttersprachlers.
rororo 62250

Bodo Mrozek
Lexikon der bedrohten Wörter

Brit, Lorke, Zeche: Manche Wörter erklingen ungeachtet ihrer Schönheit immer seltener. Aber warum verschwinden sie? Bodo Mrozek hat in seinem Bestseller einen Wortschatz zusammen getragen, dem das Schicksal des Aussterbens droht.
rororo 62077 (Band I)
rororo 62193 (Band II)

Weitere Informationen in der Rowohlt Revue *oder unter* www.rororo.de

rororo 62355

Dr. med Eckart von Hirschhausen
Die Leber wächst mit ihren Aufgaben

Ansteckend lustig

Hilft Akupunktur beim Auto? Warum regt einen Glückstee so auf? Und wie findet man mit geschlossenen Augen seinen Traumpartner?

Arzt, Kabarettist und Bestsellerautor Dr. Eckart von Hirschhausen klärt diese und andere Fragen mit diagnostischem Blick. Er entdeckt das Komische in Medizin und Alltag, nichts Menschliches ist ihm fremd und niemand ist vor ihm sicher.

«Weißer Kittel, schwarzer Humor» Berliner Morgenpost